Engelwesen - Ein Geschenk der Liebe

Für alle göttlichen Engelwesen!

Danke für eure unendliche göttliche Liebe und Unterstützung!

Inhaltsverzeichnis

Einführung

Von Liebe umgeben

Seit meiner Kindheit sehe ich Engelwesen und habe es auch immer geliebt, mich mit ihnen zu unterhalten. Ich fühlte mich geborgen und sicherer bei ihnen – eben von Liebe umgeben.

Drei Jahrzehnte arbeite ich nun schon eng mit den Engeln, den Erzengeln, den Meistern, den Avataren und Göttinnen zusammen. Ich habe versucht, die Engelwesen in diesem Buch aufzuführen, die mir selbst immer wieder bei den Engelreadings zur Seite stehen und die mir sehr am Herzen liegen. In diesem Buch stelle ich jedes Engelwesen vor und am Ende jeder Beschreibung gibt es ein kleines Gebet, das Ihnen helfen kann, sie zu rufen.

Mit diesem Buch wollte ich ein Werkzeug schaffen, das jedem Menschen die Freiheit und die Möglichkeit gibt, mit den Engelwesen und mit Gott in Verbindung zu treten. Also habe ich alle notiert, die mir immer wieder zur Seite stehen und das Beste in den Engelreadings geben! Ich bin mit jedem Einzelnen in Kontakt getreten, habe nachgeforscht, um so viele Informationen wie möglich zu bekommen, und habe mit jedem einzelnen Engelwesen ein Gebet verfasst. Das Resultat ist dieses wunderbare Buch, gefüllt mit Engeln!

Falls ich ein Engelwesen nicht erwähnt haben sollte, Sie aber finden, dass man es auch erwähnen sollte, dann schreiben Sie mir einfach und ich schreibe ein zweites Buch über noch mehr wunderbare göttliche Wesenheiten! Vielen Dank!

Lesen Sie in Ruhe die Engelbeschreibungen durch, und falls Sie sich geführt fühlen, mit einem zu arbeiten, dann tun Sie es. Keine Angst! Sie sind für uns Menschen da!

Sie freuen sich, wenn sie helfen können!

Sie können also mit nur einem Engelwesen arbeiten und nur dieses eine Wesen an Ihre Seite bitten, Sie können aber auch mit mehreren gleichzeitig arbeiten. Vielleicht passen mehrere zu Ihrem Thema, dann ist das auch vollkommen in Ordnung. Es ist Ihnen ganz freigestellt, denn Sie können nichts falsch machen!

Das Wichtigste ist: Rufen Sie sie mit einem offenen, ehrlichen und liebenden Herzen an, dann stehen sie Ihnen sofort mit Rat, Tat und Motivation zur Seite!

Falls Sie ein Engelwesen für eine andere Person rufen möchten, können Sie dies auch sehr gerne tun! Der Leitfaden sollte dabei auch immer ein offenes, ehrliches und liebendes Herz sein. Bitten Sie also diese ausgewählte Wesenheit an die Seite des Menschen – Sie können auch das Gebet dafür sprechen, aber dann ist es ganz wichtig: Lassen Sie die beiden frei, lassen Sie los und lassen das Beste geschehen.

Es sollte niemals zwingend sein, etwa weil Sie denken: Der andere braucht doch genau das, warum reagiert er denn nicht? Das kann nur zu mehr Stau führen.

Rufen Sie zum Beispiel Christus an die Seite eines Menschen und sehen Sie, wie Christus diese Person im Arm hält – dann lassen Sie sie frei, Sie lassen los und lassen Christus seine Arbeit machen und mit der Person zusammen vielleicht Wunder bewirken!

Okay, ich hoffe, dass dieses Buch Ihnen viel Freude bringt, und wünsche mir sehr, dass die Engelwesen Ihnen jeden Tag vertrauter werden, um schon bald ein fester Teil Ihres Lebens zu sein, der das Leben leichter macht! Ich hoffe, es ist der Beginn einer wunderschönen Freundschaft zwischen Ihnen, den wunderbaren Erzengeln, den unheimlich kraftvollen Göttinnen, den lichtvollen Meistern und Avataren und mit Gott selbst.

Ich wünsche Ihnen viel Spaß!

Von Herzen
Ihre Nadine Simmerock

Abundantia

Man kann Abundantia in der römischen Mythologie finden. Sie ist eine wunderschöne Göttin des Reichtums, des Glücks, der Fülle und des Erfolges. Sie hat ein Füllhorn bei sich, das sich energetisch über Ihnen ergießt, wenn Sie sie rufen. Was soll ich sagen? Jeder, der sie ruft und ihre liebevolle, segensreiche Energie wahrnimmt, ist überwältigt.

Sie ist so rein und schön und kommt zu jedem Menschen, der sie aus tiefstem Herzen an seine Seite bittet. Sie arbeitet sehr stark mit Lakshmi zusammen und die beiden Göttinnen können Wunder vollbringen in Ihrem Leben.

Abundantia bringt Geldsegen, Wohlstand, finanzielle Sicherheit. Aber nicht nur das! Wenn Sie sie rufen, dann seien Sie bereit, sich von ihr führen zu lassen. Sie möchte helfen, dass man sich auf seinem Weg zurechtfindet, der – wie jeder weiß oder auch schon erlebt hat – sich nicht immer sicher anfühlt, und vor allem, wenn ein Geldmangel herrscht. Dann wird sie das Kommando übernehmen und versuchen, Sie herauszuführen, in die Liebe, Sicherheit und Geborgenheit.

Lassen Sie Ihre Sorgen los und übergeben Sie sie Abundantia. Lassen Sie sich von ihr in die Freude mitnehmen, und mit dieser liebevollen Führung gehen Sie Ihren Lebensweg gestärkt weiter.

- Wohlstand
- Finanzielle Sicherheit
- Schutz und sichere Führung
- Liebe und Geborgenheit
- Sorgen loslassen
- Freude leben
- Reicher Segen

Gebetsvorschlag:

Meine wunderschöne, liebevolle Abundantia, ich brauche deine Hilfe … (Beschreibung der Situation).

Bitte komm jetzt an meine Seite und lasse deine Kraft in diese ganze Situation fließen!

Ich wünsche mir, so kraftvoll zu sein wie du, ohne meine ganzen Sorgen und erfüllt von Freude. Deshalb übergebe ich dir jetzt all meine Sorgen, mit dem Wissen, dass ich sie nicht mehr brauche, denn sie helfen mir nicht weiter, sondern blockieren mich, diese Situation und mein ganzes Leben! Danke für deine sofortige Intervention und den Glauben in meinem Herzen, dass ich jetzt schon versorgt bin!

Hilf mir bitte, mich jetzt zu öffnen, dass ich deine reichen Segnungen, die nun aus deinem Füllhorn über mich regnen, empfangen kann und sie voller Dankbarkeit annehme.

Du füllst mich und mein Leben mit neuem Reichtum, Freude und Liebe. Du bist wunderbar und ich danke dir für deine reichen Segnungen.

Babaji

Ich denke, Babaji wurde bei uns im Westen sehr bekannt durch das wunderbare Buch „Autobiographie eines Yogi" von Paramahansa Yogananda. Durch Babaji bekam der wundervolle Yogananda den Auftrag, Kriya-Yoga auch im Westen zu lehren. Seine Lehren bestehen bis heute und wachsen jedes Jahr. (Mehr Information darüber finden Sie unter „Yogananda".)

Babaji wird auch der „unsterbliche Meister" genannt. Es heißt, er sei nie gestorben, sondern mit seinem Körper in die himmlischen Sphären aufgestiegen. Noch heute wird immer wieder berichtet, dass er einigen Gottessuchern physisch erschienen ist. Babaji ist auf alle Fälle der Inbegriff der Liebe Gottes. Er ist reine Liebe, pure göttliche Liebe. Ich liebe ihn sehr und habe den größten Respekt und Hochachtung vor ihm. Babajis Aufgabe ist es, die Menschen zu Gott zu führen. Denn die Wahrheit ist: Wir kommen von Gott und gehen auch wieder dorthin zurück.

Ich meine mit „Gott" auf gar keinen Fall eine Religion. Jeder Mensch sollte seine direkte Verbindung mit Gott pflegen.

Wenn Sie eine klarere Kommunikation mit Gott möchten und Ihr Herz für ihn öffnen wollen, dann rufen Sie Babaji. Er wird Sie dabei unterstützen und Sie anleiten.

Ich liebe ihn über alles, er schenkt so viel Liebe und öffnet Herzen und hilft uns, spirituell zu wachsen.

Er ist wundervoll!

- Spirituelles Wachstum
- Klarheit
- Öffnen des Herzens
- Reine, göttliche Liebe
- Klare Kommunikation mit Gott

Gebetsvorschlag:

Geliebter Babaji, bitte öffne mir ganz behutsam mein Herz, dass ich dir und Gott meine reine Liebe schenken kann. Danke, dass du jetzt an meiner Seite bist und mich heilst. Erobere mein kleines Herz im Sturm und mache es riesig, erfüllt mit göttlicher Liebe!

Diese Liebe kann ich dann in der Welt verteilen und ich weiß, dass ein Vielfaches zu mir zurückkommen wird, und ich kann dann wiederum diese vervielfachte Liebe weiterschenken.

Danke, dass du mir Gott und seine heilsame Liebe näherbringst und mir hilfst, einen direkten Kontakt mit Gott aufzubauen! Es ist wunderschön und erfüllt mich mit Freude!

Ich danke dir aus tiefstem Herzen für deine Klarheit und deine Hilfe, innerlich zu wachsen.

Buddha

Buddha ist wunderbar und ein Vorbild für viele Menschen. Er suchte während seines Lebens nach dem Ende des Leidens. Er wollte die wirkliche Befreiung und versuchte verschiedene Wege, bis er den seinigen fand. Er meditierte unheimlich viel, vor allem an einem Bodhi-Baum. Dort schwor er sich, sich erst dann wieder zu erheben, wenn er die Erleuchtung erlangt hatte.

So kam es, dass er tief meditierte und seine vergangenen Leben erkennen konnte – die Unendlichkeit des Lebens. Und er erkannte, dass man sich durch inneren Frieden von Leid befreien konnte. Er lehrte danach auch, dass der „Mittlere Weg", also die Mäßigung in allen Dingen, der Schlüssel zu einem ausgewogenen, glücklichen Leben ist.

Wenn man ihn ruft, spürt man sofort seinen Frieden und seine Harmonie. Er hilft Ihnen auch, im täglichen Leben den „Mittelweg" zu finden, auch zwischen der täglichen Arbeit, die wir erledigen müssen, und der Zeit, die wir finden können, um tief zu meditieren und uns mit Gott zu vereinigen.

- – Meditation
- – Den Frieden in sich finden
- – Harmonie und Ausgeglichenheit
- – Freude
- – Spirituelles Wachstum und die Vereinigung mit Gott

Gebetsvorschlag:

Mein lieber Buddha, ich bitte dich von ganzem Herzen um deine Zärtlichkeit und deine Führung für mein spirituelles Wachstum. Hilf mir bitte, ein ausgeglichenes, harmonisches Leben zu führen, mit genug Zeit für tiefe Meditation. Ich möchte in deinen Frieden eintauchen und lasse mich dabei von dir führen. Ich danke dir aus tiefstem Herzen.

Christus

Er ist der Sohn Gottes – was für eine Liebe strahlt er aus! Jesus Christus ist wohl einer der bekanntesten Meister, die es gibt. Fast ein jeder kennt seine Geburtsgeschichte, sein Leben, seine Kreuzigung und seine Auferstehung! Vor allem in der Weihnachtszeit ist das Christusbewusstsein sehr greifbar. Diese Zeit ist erfüllt von seinem Segen. Symbolisch gesehen ist der Stamm des Weihnachtsbaumes vergleichbar mit unserer Wirbelsäule, die Wurzeln des Stammes symbolisieren unsere Fußchakren und die Spitze des Baumes mit dem Weihnachtsstern darauf symbolisiert unser offenes Drittes Auge. Also kann man diese Zeit für sich nutzen, sich vielleicht auch ein bisschen zurückziehen, um zu meditieren.

Auch war die Kreuzigung von Jesus Christus nicht als Sieg seiner Gegner zu verstehen, sondern er zeigte durch seine Auferstehung, dass ER Gottes Sohn ist, dass man ihm nichts antun konnte. Er – wir – sind unsterblich. Er ist auch der Inbegriff von wahrer Vergebung. Glauben Sie nicht auch, dass er seine Gegner mit nur einer Handbewegung hätte vernichten können?

Stattdessen sagte er: „Gott, vergib ihnen, denn sie wissen nicht, was sie tun", und somit vergab er allen. Jesus Christus kann Ihnen also sehr gut bei einem Vergebungsprozess helfen. Vergebung bedeutet Loslassen, und das ist mit das Wichtigste, was es gibt im Leben, aber wohl auch das Schwierigste, was es gibt – das gebe ich zu. Viele Menschen tun sich sehr schwer damit. Durch Christus habe ich gelernt, es folgendermaßen zu sehen:

Ich hatte eine Erwartung an eine andere Person, die der andere mir aber nicht erfüllen konnte. Nun fühle ich mich nicht geliebt, zurückgestoßen, enttäuscht, verletzt oder sogar hintergangen. Aber eigentlich habe ich mich selbst getäuscht mit meiner Erwartung.

Ich hatte eine Erwartung, die der andere nicht erfüllen konnte oder wollte, und nun hänge ich selbst in meiner Enttäuschung, meiner

Wut oder Verbitterung fest und will den anderen Menschen nicht loslassen, der mir das „angetan" hat. Ich vergifte mich also selbst und so entstehen dann Verletzungen und karmische Verstrickungen, und wir kämpfen wie wild, um wieder freizukommen. Aber nur so lange, bis wir uns entschließen, uns selbst nicht mehr vergiften zu wollen, sondern loszulassen, sodass Vergebung entstehen kann! Nach und nach schafft man es dann auch, den anderen loszulassen und vor allem seine eigenen blockierten Emotionen freizulassen.

Ich liebe Jesus Christus so sehr. Er begleitet mich schon mein ganzes Leben und ich bin sehr dankbar, ihn an meiner Seite zu haben. Er hat mir schon in so manch einer ausweglosen Situation geholfen.

Rufen Sie die Christusenergie in Ihr Leben. Machen Sie es täglich und es wird sich langsam, aber sicher etwas in Ihnen und um Sie herum verwandeln. Die Christusenergie lebt in uns und möchte geweckt werden. Aktivieren Sie den Christus in sich, dies wird eine enorme Schwingung auslösen!

Es aktiviert Ihre göttliche Flamme und diese Schwingung aktiviert Kräfte, die in Worte nicht zu fassen sind – es können tatsächlich Wunder geschehen!

- Vergebung
- Heilung
- Wunderwirkende Kraft
- Verbindung mit Gott
- Loslassen
- Frieden

Gebetsvorschlag:

Der Frieden Jesu Christi strömt jetzt in mich, und alles ist gut!

Der Frieden Jesu Christi strömt jetzt in mein Herz und mir ist vergeben und ich kann vergeben!

Der Frieden Jesu Christi erfüllt jetzt mein Herz und ich komme in den Frieden mit … (Name der Person).

Der Christusgeist in mir bewirkt jetzt sofort vollkommene Ergebnisse! Mein Leben kann nicht eingeschränkt werden, denn Jesus Christus ist meine heilende Kraft!

Ich werde es schaffen, denn Christus in mir ist meine Kraft zum Erfolg! Die wunderwirkende Kraft Jesu Christi strömt jetzt in … (nennen Sie die Situation) und bewirkt vollkommene Ergebnisse!

Die wunderwirkende Kraft Jesu Christi strömt jetzt zum Besten aller Beteiligten in diese Situation und alles ist gut!

Von mir aus schaffe ich es gerade nicht, aber Jesus Christus in mir kann und wird jetzt alles in Ordnung bringen.

Jesus Christus in mir führt mich jetzt zu den richtigen Menschen/an den richtigen Ort/an den perfekten Arbeitsplatz …!

Diana

Diana ist eine ganz tolle und kraftvolle Mondgöttin. Sie steht für Stärke, Kraft und Fülle, aber auch für die Fruchtbarkeit. Also ist sie eine tolle Hilfe für alle Frauen, die den Wunsch haben, schwanger zu werden, aber auch für alle Menschen, die ein neues Projekt oder Unternehmen starten wollen – sie gibt die passende Starthilfe dafür!

Sie ist so strahlend und leuchtend, dass sie einem damit jegliche Angst und Sorge nimmt. Sie wäscht sie einfach weg. Ich sage „waschen", da ich ihr im Tempel der Diana von Ephesus (Türkei) zum ersten Mal richtig begegnet bin. Sie tauchte vor mir auf, kraftvoll, stark und reinigend, mit Pfeil und Bogen in der Hand. In dem Tempel wurde erklärt, dass die Göttinnen/Hohepriesterinnen dort heilende Waschungen praktiziert haben. Und genauso habe ich sie empfunden, sie kommt und wäscht Sorgen und Ängste einfach weg und wandelt sie in Stärke, Kraft, Fülle und Fruchtbarkeit um!

Im Tempel von Ephesus habe ich mich von ihr waschen lassen und sie konnte mir viele Ängste und Sorgen nehmen und in Kraft umwandeln.

Ich möchte hierbei erwähnen, dass sie ganz toll gegen die Angst wirkt, vor Publikum zu sprechen, sich öffentlich zu zeigen, abgelehnt zu werden etc., überall dort, wo man sich durch seine Angst zurücknimmt und sein Potential dadurch schmälert.

Rufen Sie sie in Ihr Leben, wenn Ängste Ihr Leben beherrschen, wenn Sie dazu neigen sich zu viele Sorgen zu machen, ein neues Projekt starten wollen, ein Kind bekommen möchten oder einfach eine Kriegerin neben sich brauchen!

- Mutterschaft, Schwangerschaft, Geburt
- Ängste und Sorgen loslassen
- Angst vor Öffentlichkeit
- Um in die Stärke, Kraft, Fülle und Fruchtbarkeit zu gelangen

Gebetsvorschlag:

Diana, du liebevolle Kriegerin, bitte komm jetzt an meine Seite und wasche alle meine Sorgen und Ängste weg. Ich bin nun bereit, alles loszulassen, aus den Tiefen meines Daseins darfst du mir alle noch vorhandenen Ängste, Sorgen und Zweifel nehmen.

Ich möchte so gerne strahlen wie du. Bitte wasche mir auch diese Situation … (Beschreibung der Situation) rein.

Ich weiß, ich muss sie loslassen, doch bisher konnte ich es noch nicht, denn die negative Energie klebte an mir. Ich danke dir, dass du jetzt alles von mir wäschst und alles porentief reinigst – mich und diese ganze Situation. Ich lasse jetzt los und übergebe alles dir, sodass ich mein wahres Potential, mein wahres Selbst, meine Kraft und meine Stärke leben kann.

Du bist mein leuchtendes Beispiel und ich folge dir, sodass Fülle, Weisheit und Liebe mein Leben erfüllen!

Vielen Dank, wunderbare Diana!

Djwal Khul

Djwal Khul ist ein aufgestiegener Meister und wirkt sehr eng mit Erzengel Raphael und dem Meister Hilarion zusammen. Sie sind große Heiler und Djwal Khul gibt von Herzen. Als er mir zum ersten Mal begegnete, war ich wie hypnotisiert von seinem smaragdgrün leuchtenden Herz. In Sekundenschnelle umhüllte er mich damit und ich hatte das Gefühl zu schweben. Er ist ein großer Heiler und er kommt zu jedem, der ein gebrochenes Herz hat – egal aus welchem Grunde.

Seine Botschaft ist sehr klar:

„Diene von Herzen!"

Er gibt uns die Möglichkeit, nach innen zu schauen und in uns hineinzufühlen. Er kann uns den Weg zeigen, uns von unserem Ego zu befreien, sodass wir in das Dienen von Herzen kommen können.

Lassen Sie sich von ihm verzaubern, sein Licht bringt Ihnen Heilung, und falls Sie im heilerischen Bereich tätig sind, steht er Ihnen gerne zur Seite.

-     Heilung
-     Heilung des Herzens
-     Hilfe für alle, die heilerisch tätig sind
-     Dienen von Herzen
-     Enge Zusammenarbeit mit Erzengel Raphael und Meister Hilarion

Gebetsvorschlag:

Geliebter Djwal Khul, der mit dem smaragdgrünen Licht heilt, ich liebe dich und danke dir, dass du mir jetzt mein verletztes/gebrochenes Herz heilst. Nimm alle Verletzungen, Trauer, Verzweiflung und allen Schmerz aus meinem Herzen.

Ganz besonders geht es um diese schmerzhafte Situation: … (Beschreibung der Situation). Ich fühle mich so verwundet, dass mein Herz wehtut!

Ich danke dir, dass du bereit bist, mir zu helfen, und mein Herz neu belebst! Erfülle es mit deinem grünen Licht und deiner Liebe und hilf mir, die Wunden zu heilen und es neu zu fühlen. Durch deinen Schutz und deine Heilung kann ich mein Herz langsam wieder öffnen und spüre das freudvolle Pulsieren, nicht nur in meinem Herzen, sondern in meinem ganzen Dasein.

Ich danke dir, geliebter Djwal Khul!

El Morya

El Morya ist ebenfalls ein aufgestiegener Meister. Er hat ein unheimlich starkes Licht – ich möchte sagen, er dient dem göttlichen Licht. Er hilft uns, die Verbindung zur inneren Stimme aufzunehmen und ihr zu folgen.

„Schöpfe Vertrauen", höre ich ihn immer wieder während der unzähligen Engelreadings für Klienten sagen. Er wünscht sich so sehr, dass wir uns alle mehr vertrauen und dieses Vertrauen dann auch weitergeben! Er nimmt gerne unsere Sorgen und verwandelt sie in Vertrauen um. Sein Licht ist so stark, so reinigend! Das ist unglaublich.

Daher ist er wohl auch ein großer Segen für sehr sensitive Menschen, denn er legt einen tollen Lichtschutz um sie, und er hilft jedem Menschen gerne, die vorhandene Feinfühligkeit auszubauen, sich darüber zu freuen und sie positiv einzusetzen.

Er reinigt mit seinem Licht sehr stark und fordert sogar manchmal, dass wir uns auf der Körperebene reinigen.

UND er kann Energieschnüre durchtrennen. Wenn Sie also das Gefühl haben, Ihnen sitzt sprichwörtlich eine andere Person im Nacken oder im Solar, dann erbeten Sie seine Hilfe. Er kann diese sogenannten Energieschnüre für Sie durchtrennen.

Er ist einfach herrlich und lichtbringend!

- – Verbindung zur inneren Stimme
- – Schöpfe Vertrauen
- – Schutz, Erdung und Zentrierung
- – Neuanfang
- – Reinigung
- – Durchtrennen von Energieschnüren

Gebetsvorschlag:

Wunderbarer El Morya, du lichtbringender Meister. Bitte komm jetzt an meine Seite und umhülle mich jetzt mit deinem strahlenden, göttlichen Licht. Du bist so stark und ich weiß, dass du mir jetzt helfen kannst, alles in mir und um mich zu reinigen.

Ich brauche dich jetzt ganz dringend in dieser Situation: ... (Beschreibung der Situation).

Ich bitte dich nicht nur, mich zu reinigen, sondern auch alle daran beteiligten Personen!

Durchtrenne und entferne nun alle etwaigen Energieverbindungen zu den anderen Menschen, gib mir all meine Energien wieder zurück und überbringe alle fremden Energien den Menschen, denen sie gehören. Ich lasse sie los und lasse jetzt alles los, wofür die Zeit gekommen ist. Ich vertraue dir voll und ganz.

Danke, dass du mich, die Situation und alle daran beteiligten Personen wieder neu auflädst und mit göttlicher Energie erfüllst! Danke für diesen Neuanfang!

Beschütze mich auf meinem weiteren Weg vor negativen Gedanken und Einflüssen und hilf mir, dass ich in jeder Situation zentriert bleibe und meiner inneren Stimme vertraue!

Ich danke dir aus tiefstem Herzen und freue mich, positiv und beschützt meinen Weg zu gehen!

Erzengel Ariel

Erzengel Ariel ist nun der erste Erzengel, den ich beschreiben werde. Ariel ist ein weiblicher Erzengel und ihr Name bedeutet „Löwin Gottes". Wie der Name schon spüren lässt, ist sie unheimlich stark, mutig und beschützend! Sie bringt so viel Mut und Selbstvertrauen und ihre Botschaft ist: „Sei mutig und getraue dich, deine Träume zu leben, und vor allem: Bleibe dir selbst treu." Das ist doch wunderschön, jemanden an seiner Seite zu haben, der einem eine solche Botschaft übermittelt!

Ariel stärkt durch ihre Kraft die Fußchakren und man fühlt sich mit der Zeit wirklich mit einem stärkeren und sichereren Fundament ausgestattet und versorgt. Sie hilft uns dabei, unserer Lebensaufgabe zu folgen, sodass wir nicht aufgeben, wenn etwas nicht gleich klappen sollte. Wenn Sie sie rufen, nehmen Sie sofort ihren Schutz wahr. Sie steht dann an Ihrer Seite wie eine Löwenmutter bei ihrem Jungen.

Sie hat eine große Liebe und liebt alle Lebewesen. Nicht nur die Menschen, sondern alle Tiere und die Natur. Falls Sie ein Tier besitzen, ist sie eine gute Lehrerin und Hilfe beim Erziehen des Tieres. Und falls Sie das Gefühl haben, Ihre Lebensaufgabe hat mit Tieren oder der Natur zu tun, dann rufen Sie die wunderschöne Ariel, sie wird Ihnen den Weg weisen.

- Mut und Selbstvertrauen
- Lebe deine Träume
- Bleibe dir selbst treu
- Schutz
- Verbindung zu Tieren und der Natur

Gebetsvorschlag:

Erzengel Ariel, du bist so kraftvoll und wunderschön. Ich bitte dich, komme an meine Seite und beschütze mich, sodass ich den Mut und das Selbstvertrauen bekomme, meine Träume zu leben und zu mir selbst zu stehen.

Ich bitte dich nun, alles aufzulösen, was mich noch daran hindert, dies zu tun! Ich danke dir, dass du jetzt deinen warmen Schutz um mich legst und mich bestärkst, ich zu sein!

Falls es noch eine Situation oder einen Menschen gibt, der mich daran hindern möchte, dann bitte ich dich, das nun aufzulösen! Zeige mir, was ich verändern kann und muss, um mich selbst zu leben und ich zu sein!

Ich freue mich, dass du meine Fußchakren neu belebst und mein Fundament aus Liebe, Selbstwert und Vertrauen erschaffst!

Du weist mir jetzt den richtigen, freudvollen Weg und machst ihn für mich frei. Ich danke dir so sehr, dass du mich auf meinem Lebensweg führst und ich so kraftvoll und mutig meine Lebensaufgabe leben kann wie du. Vielen Dank!

Erzengel Azrael

Oh, Erzengel Azrael ist ein so liebenswerter, gefühlvoller und anmutiger Erzengel. Ich komme jetzt schon ins Schwärmen! Sein Name bedeutet „Dem Gott hilft". Das klingt doch wundervoll, oder? Es ist auch das, was er wirklich tut, er hilft jedem! Es ist so wundervoll, ihn bei sich zu haben, denn er ist ein Lichtbringer in allen Situationen. Sein Licht wirkt beruhigend, daher kann er auch hervorragend bei Schlafproblemen helfen und uns so einhüllen, dass wir bereit sind, unseren Kummer, der uns nicht schlafen lässt, loszulassen, um tief schlafen zu können. Er heilt mit seiner liebevollen, zurückhaltenden Art vor allem unsere Herzen von Kummer, Schwere, Verzweiflung und Trauer.

Erzengel Azrael ist der Engel, der im Sterbeprozess helfen kann, oder eben auch bei Ablösungsprozessen. Damit meine ich zum Beispiel eine Trennung, oder wenn ein Kind in den Kindergarten kommt und es uns schwerfällt, es loszulassen, oder wenn ein geliebter Mensch wegzieht. In all diesen Trennungsprozessen hilft Erzengel Azrael mit seinem strahlenden Licht. Durch sein Licht ist er auch super unterstützend für alle Lichtarbeiter.

- Hilfe in allen Situationen, besonders beim Sterbeprozess/ Trennungsprozess
- Lichtbringend
- Besserer Schlaf
- Hilfe für Lichtarbeiter
- Loslassen von Kummer, Schwere, Verzweiflung und Trauer
- Herzheilung

Gebetsvorschlag:

Mein lieber, lichtbringender Erzengel Azrael, bitte komm jetzt an meine Seite und tröste mich. Befreie mich, befreie mein Herz von Kummer, Schwere, Schmerz, Verzweiflung und Trauer.

Vor allem fließe nun in diese Situation … (Beschreibung der schmerzvollen Situation) und heile mich. Hilf mir, dass meine Tränen versiegen. Hilf mir, all den Schmerz loszulassen, den diese Situation gebracht hat. Ich bin bereit, alles Schmerzhafte jetzt loszulassen und dir zu übergeben.

Ich atme bewusst und tief aus und befreie mich von allem Alten, was mein Herz im Kummer, in der Schwere, im Schmerz, in der Verzweiflung und in der Trauer gehalten hat.

Vielen Dank, Azrael!

Ich kann nun langsam meine Augen aufs Neue wieder öffnen und auch mein Herz wird sich mit deiner liebevollen Hilfe neu entfalten, um deine Liebe und dein Licht zu erkennen und wahrzunehmen, wie viel Liebe und Schönheit noch auf mich warten oder sogar schon genau vor mir liegen! Danke, dass du mir neuen Mut gibst und ich leicht und beschwingt weitergehen kann.

Erzengel Chamuel

Mein lieber Erzengel Chamuel ist ein großartiger Aufpasser und Helfer. Er ist einer der sechs ursprünglichen Erzengel und sein Name bedeutet „Er, der Gott sieht". Er sieht alles und hat ein unglaublich klares und starkes Licht. Er hilft uns also, in jeder Situation klar zu sehen und zu erkennen, vor allem findet er alles – verlorene Gegenstände, Arbeit, Seelenpartner, Lebensaufgabe, inneren Frieden usw.!

Einmal erzählte mir eine Klientin, dass sie ihre Uhr nicht mehr finden könne, ein Erbstück ihrer Oma. Sie war ganz aufgelöst und dadurch natürlich alles andere als zentriert und offen, sich von Erzengel Chamuel helfen zu lassen. Ich riet ihr, sich kurz hinzusetzen und tief durchzuatmen, um dann aus tiefstem Herzen um Mithilfe zu beten! Dann solle sie wirklich mal für einen Tag ihre Uhr „vergessen" und Erzengel Chamuel den Raum geben, ihre Uhr zu finden. Wollen Sie raten, was nach zwei Tagen passierte? Sie rief mich an und erklärte mir, es sei unfassbar, sie habe die Uhr unter ihrem Bett wiedergefunden, aber da hatte sie bereits nachgeschaut, und sie war sich sicher, dass sie dort nicht gewesen sei! Aber nachdem sie Erzengel Chamuel um Hilfe gebeten hatte, ihm alles übergeben hatte, bekam sie nach zwei Tagen plötzlich den Impuls: „Schau unter dein Bett!" Und dort lag ihre geliebte Uhr!

Solche Wunder können mit Erzengel Chamuel passieren!

Wenn Sie ihn rufen, zentriert er Sie sofort auf das Wesentliche und Sie können seinen Frieden und seine Liebe in sich spüren. Das kann ein sofortiges Einsetzen von Leichtigkeit sein oder Sie nehmen ein Kribbeln im Bauch wahr – wie Schmetterlinge im Bauch. Alles fühlt sich durch Erzengel Chamuel leichter und liebevoller an. Er liebt und zeigt uns, dass nur die Liebe real ist. Rufen Sie ihn, kann es passieren, dass Sie sich neu in das Leben verlieben!

    –   Innerer Frieden

- Liebe ist real
- Hilfe, um Situationen klar zu sehen
- Finden von verlorenen Gegenständen
- Finden des Seelenpartners
- Finden von Arbeit usw.

Gebetsvorschlag:
Mein geliebter Erzengel Chamuel, DU, der du alles siehst und findest! Es scheint mir, als könnte ich nicht aus eigener Kraft … (einen verlorenen Gegenstand, meinen Seelenpartner, eine neue Arbeit, neue Freunde, neue geschäftliche Kontakte etc.) finden!
Ich bin verzweifelt, denn ich suche schon so lange!
Du musst mir bitte jetzt alles aus dem Weg räumen, was mich daran hindert, das Gesuchte zu finden! Danke, dass du jetzt für mich da bist, und wenn ich ein Verhalten oder irgendetwas ändern soll, um die Situation zu heilen, dann leite mich an und ich folge dir. Ich bin bereit, mich zu verbessern und all das zu ändern, was nötig ist, um das Richtige zu finden! Bitte begleite mich jetzt in dieser Situation, beruhige mich, zentriere mich und lindere meinen Schmerz, denn ich weiß, dass in Wahrheit nichts verloren ist und du alles für mich finden kannst. Es ist alles schon da! Ich atme jetzt Liebe ein und schenke dir mein Vertrauen. Ich lasse mich jetzt von dir führen, und mit deiner Hilfe finde ich nun das, wonach ich suche, oder etwas noch viel Besseres!
Vielen Dank!

Erzengel Gabriel

Der Name Gabriel bedeutet „Gott ist meine Stärke". Gabriel ist der zweite weibliche Erzengel, sie wird auch beschrieben als Botin Gottes. Sie wird deshalb „Botin Gottes" genannt, da sie zum Beispiel Maria die Botschaft über die Geburt ihres Sohnes Jesus verkündete, oder auch war sie es, die Mohammed den Koran diktierte. (Der Koran ist das heilige Buch des Islams.)

Die Wahrheit über Gabriel ist, dass sie wohl zum einen eine sehr starke weibliche Kraft besitzt und gerne Eltern zur Seite steht, und gleichzeitig ist sie einer der mächtigsten und stärksten Erzengel. Wenn Sie sie anrufen, dann werden Sie sehr schnell bemerken, was für eine Stärke in Ihnen wächst, was für einen Tatendrang Sie verspüren und dass Sie handeln wollen – jetzt!

Wie Sie erkennen können, haben wir hier einen Erzengel mit vielen Talenten. Ich fasse es nochmals zusammen: Durch ihre Weiblichkeit ist sie eine wunderbare Stütze für alle Frauen in der Schwangerschaft und bei der Geburt, sie ist sehr bemutternd und kann auch bei der Arbeit mit dem inneren Kind sehr hilfreich sein, und wie schon erwähnt, ist sie sehr segensreich im Verhältnis zwischen Kindern und Eltern.

Ein weiteres Talent von ihr ist, alle Menschen zu unterstützen, deren Lebensaufgabe die Kommunikation, die Kunst, die Bühne ist. Falls Sie also ein Schriftsteller sind, ein Künstler, Schauspieler, Journalist, beim Fernsehen oder Radio tätig sind, ein Tänzer, Musiker usw., dann können Sie Erzengel Gabriel um Führung, Begleitung und Hilfe bitten, und sie wird Ihnen helfen, Ihr Talent freizulegen, und wird Sie unterstützen, sich auf der Bühne sicher zu fühlen!

Ich rufe sie mir immer an meine Seite für meine Arbeit und vor allem für meine schriftstellerische Tätigkeit. Sie begleitet jedes meiner Projekte, und ich kann Ihnen versichern, sie hilft mir tatkräftig, dass ich die Klarheit, Stärke und Zeit finde, neben meinen vielen Tätigkeiten und meinen fünf Kindern auch wirklich zu schreiben! Sie ist wundervoll und sie kann ein Leben verändern, da sie uns eine Stärke vermittelt, die in uns eine Tatkraft erweckt, die nicht mehr zu bremsen ist!

Seien Sie sich ganz sicher, wenn Sie Erzengel Gabriel rufen, sie hat nicht nur einzigartige Ideen, sondern öffnet kreative Kanäle und Energien, die Sie Bäume versetzen lässt!

Auf alle Fälle wünsche ich Ihnen viel Spaß mit diesem wunderbaren Multitalent!

- Schwangerschaft und Geburt
- Weiblichkeit
- Verhältnis zwischen Eltern und Kindern
- Arbeit mit dem inneren Kind
- Begleitung aller künstlerischen Projekte
- Schreiben
- Journalismus, Arbeit beim Fernsehen oder Radio
- Bühnenpräsenz

Gebetsvorschläge:

1) Mein lieber Erzengel Gabriel, ich bitte dich, komm jetzt an meine Seite und hilf mir bei … (Beschreibung der schwierigen Situation, zum Beispiel: bei meiner Schwangerschaft, Geburt, bei meinem Sohn oder meiner Tochter, bei der Arbeit mit meinem inneren Kind). Bitte erfülle mich mit deiner Stärke und deiner liebevollen Kraft und lasse mich die Wahrheit in allem erkennen. Ich weiß, dass du schon da bist und mir hilfst, diese schwierige Situation zu heilen und zu bereinigen. Du stehst mir jetzt als liebevoller, starker Coach zur Verfügung und dafür danke ich dir. Vielen Dank!

2) Mein geliebter Erzengel Gabriel, ich liebe dich und danke dir, dass du bereit bist, mich bei … (Beschreibung des Projekts) jetzt zu unterstützen. Bitte öffne meine kreativen Kanäle, öffne meinen Geist und mein Herz, dass ich einzigartige, klare und wunderbare Ideen hervorbringe, und heile all das, was mir noch im Wege steht, zum Beispiel … (Nennung der Angst, Sorgen, Zweifel)! Bitte versorge mich mit ausreichend Energie, Inspiration und vor allem Motivation, um das Beste aus mir herauszuholen! Ich bin so glücklich, dass du mir zur Seite stehst und mir ungeahnte Türen öffnest, während ich dem Ruf meines Herzens folge, mein Bestes gebe und mein Projekt vollende! Herzlichen Dank, lieber Erzengel Gabriel. Ich liebe dich!

Erzengel Haniel

Erzengel Haniel besitzt die Kraft und Energie einer Mondgöttin! Ja, sie ist auch ein weiblicher Erzengel – weiblich und wunderschön und ihr Name bedeutet „Anmut Gottes"! Haniel hilft uns durch ihre Anmut, durch ihre tiefe Achtung und Liebe, dass wir uns sicher und genährt fühlen. Während Sie diese Zeilen lesen, werden Sie schon ihre Energie wahrnehmen können und spüren, wobei sie Ihnen helfen kann. Sie legt einen sanften Schleier wunderbarer Energie um uns. Man fühlt sich sofort verstanden, geliebt und angenommen, wie eine liebende Mutter umgibt sie uns mit ihrem Verständnis.

Sie kann sehr erfüllend und helfend wirken. Wenn Sie vielleicht Ihre Mutter verloren haben oder nie eine liebevolle, nährende Mutter an Ihrer Seite haben, dann können Sie Haniel bitten, diese Leere aufzufüllen. Durch ihre Weiblichkeit und ihre Mondenergie ist sie der perfekte Engel für alle Mädchen, Frauen und Mütter und für die Männer, die weicher und liebevoller werden möchten.

Sie leitet uns an, voller Anmut, Weisheit, Achtung, Liebe und Gelassenheit mit anderen Menschen und Situationen umzugehen! Sie zeigt uns, dass man mit Charme und Achtung viel weiter kommt als mit Kampf und Starrsinn! Sie wird viel Schönes in Ihr Leben ziehen, denn sie besitzt einen unwahrscheinlichen göttlichen Magnetismus!

- Bringt Weiblichkeit, Anmut, Weisheit, Achtung, Liebe, Gelassenheit, Charme und Schönheit
- Mondzyklus
- Hilft Männern, weicher und liebevoller zu werden
- Lösung von schwierigen Situationen oder Streiterei
- Göttlicher Magnetismus

Gebetsvorschlag:

Glorreiche Haniel, du bist voller Anmut, Weisheit, Achtung, Liebe, Gelassenheit, Charme und Schönheit. Bitte hilf mir, so zu sein wie du, und bringe jetzt deine wundervolle, göttliche Energie zu mir und in diese Situation ... (Beschreibung der Situation oder Name eines Menschen)!

Bitte lege deinen Schleier voll des göttlichen Segens um mich und diese Situation (oder Name des Menschen), dass du unsere Worte, Gedanken und Handlungen leitest und in den Frieden bringst. Alles ist gut! Alles wird jetzt von dir geheilt und ausgeglichen.

Vielen Dank für deine schnelle Hilfe!

Ich bin sicher und geschützt, egal wem ich begegne oder mit wem ich spreche, ab heute verteile ich von ganzem Herzen deinen göttlichen Segen, deine Liebe, deinen Anmut, deine Weisheit, deine Achtung, deine Gelassenheit, deinen Charme und deine Schönheit, um die Herzen der anderen zu erfüllen.

Ich danke dir aus ganzem Herzen für deine Hilfe und dass dein göttlicher Magnetismus nur gute, positive und segensreiche Energien in mein Leben zieht!

Danke!

Erzengel Jeremiel

Erzengel Jeremiel ist einer der sieben Ur-Erzengel und sein Name bedeutet „Gnade Gottes". Rufen Sie ihn an Ihre Seite, werden Sie ziemlich schnell bemerken, wie er Sie mit seiner Gnade umhüllt. Er fließt in unsere Fußchakren und von dort breitet sich sein Licht in unserem gesamten Körper und Energiesystem aus. Dadurch wird man automatisch ganz friedlich, ausgeglichen und entspannt und man kann jegliche negative Emotion abgeben. Er hilft uns, alles, was sich im Ungleichgewicht befindet, zu heilen, und ist ein Segen in wechselhaften Zeiten.

Ich rufe Erzengel Jeremiel immer, wenn ich mit einem Klienten meine Klopftherapie mache, denn er kann uns am besten helfen, negative Emotionen herauszulösen. Sein heilender Wirkungsbereich ist vor allem im Fußchakra (Sitz von negativen Erinnerungen, Karma und Schocks) und im Herzchakra (Sitz der Emotionen). Er kann uns mit seiner Gnade helfen, in den Frieden zu kommen, uns ein neues Fundament aufbauen, voller Liebe, Selbstwert und Vertrauen, damit wir einer wunderbaren Zukunft entgegengehen können. Er ist einfach fantastisch.

- Gnade für jede Situation
- Hilfreich bei Meridian-Klopftherapie
- Herauslösen von negativen Emotionen
- Aufbau eines neuen Fundaments
- voller Liebe, Selbstwert und Vertrauen

Gebetsvorschlag:

Mein geliebter, gnadenbringender Erzengel Jeremiel, bitte umgib mich jetzt mit deiner Liebe und hilf mir diese negativen Emotionen … (Beschreibung der Situation) loszulassen. Sie behindern mich sehr, um weiterzukommen, deshalb bitte ich dich aus tiefstem Herzen, löse sie jetzt heraus, voll und ganz!

Ich bin jetzt dazu bereit, denn ich brauche diese Negativität nicht mehr und überlasse sie nun dir, mit all meinen zusätzlichen Sorgen, Ängsten, Zweifeln und Anspannungen.

Vielen Dank für deine großartige Hilfe und dass du mir meine Fußchakren und das darin liegende Fundament komplett neu aufbaust.

Ich freue mich darauf, dass du mir ein neues Fundament voller Liebe, Selbstwert und Vertrauen erschaffst und mein Herz mit deiner Gnade heilst, sodass ich in eine neue, erfüllte und bessere Zukunft gehen kann. Du leitest mich und führst mich sicher auf meinem weiteren Lebensweg und verhilfst mir zu liebevollen Begegnungen und Begebenheiten!

Vielen Dank, mein wunderbarer Erzengel Jeremiel!

Erzengel Jophiel

Erzengel Jophiel ist ein weiterer weiblicher Erzengel und ihr Name bedeutet „Schönheit Gottes"! Sie macht diesem Namen alle Ehre, sie ist nicht nur wunderschön und fein, sondern sie versucht auch, unsere Gedankenwelt, unser Inneres, das Äußere, Situationen, eigentlich das ganze Leben zu verschönern. Mit ihr an der Seite wird das Leben wirklich schöner! Es lohnt sich, diesen wunderschönen Engel zu rufen. Ihre Gedanken werden neu erblühen, und wenn Sie mit Affirmationen arbeiten, werden diese plötzlich viel kraftvoller und positiver wirken. Jophiel ist sehr fein und kann tief in unsere Gedankenwelt eindringen – sie bringt Harmonie in jegliches Chaos, bei Unruhe oder negativen Gedanken. Sorglos umhüllt sie uns mit ihrer Schönheit und ihre Energie wirkt wie eine frische Meeresbrise. Sie sieht die Schönheit in allem und kann uns helfen, uns von unnötigen Dingen, Mustern, Gedanken und Verhaltensweisen zu befreien und zu lösen. Sie gibt uns durch ihre Positivität, ihre Schönheit und dem daraus resultierenden schöpferischen Talent neuen Mut und die Leichtigkeit zurück. Es wird uns leichter fallen, uns auszudrücken und unser Potential zum Ausdruck zu bringen!
Sie möchte nicht, dass wir in Ängsten und Sorgen stecken bleiben. Wenn wir sie in unser Leben lassen, durchströmt uns so viel Positives und Schönes, dass wir dadurch das Verlangen bekommen, etwas Nützliches, Kreatives, Schönes zu erschaffen. Sie sagte einmal zu mir: „Es bringt doch nichts, im Negativen zu verharren, dann sollte lieber jeder Mensch aufstehen und sich bemühen, etwas Kreatives zu tun – sei schöpferisch und getraue dich, das Negative zu durchbrechen!"
Sie begleitet auch wundervoll jedes künstlerische Projekt.
Scheuen Sie sich nicht, Erzengel Jophiel zu sich einzuladen, sie wird Ihr Leben mit Schönheit erfüllen, und das ist ein unglaubliches Geschenk!

- Bringt Schönheit in allen Bereichen
- Positive Gedanken – hilfreich bei Affirmationen
- Positivität
- Befreiung von negativen Dingen, Mustern, Gedanken und Verhaltensweisen
- Fördert Kreativität und die Schöpferkraft
- Begleitung von künstlerischen Projekten

Gebetsvorschlag:
Geliebter Erzengel Jophiel, du göttliche Schönheit! Bitte komm an meine Seite und durchflute meine Gedanken, mein Herz und mein ganzes Dasein mit deiner Schönheit. Bitte hilf mir bei dieser Situation: … (Beschreibung der Situation).

Ich danke dir, dass du jetzt meine Sorgen, Ängste, negativen Muster, Gedanken und Verhaltensweisen, also alles, was mich in dieser bestimmten Situation belastet oder darin festhängen lässt, löst und durch deine Schönheit ersetzt.

Ich bin jetzt bereit und gewillt, meine Energie nicht mehr an das Negative zu verschwenden, sondern mit deiner Hilfe schaffe ich es, mich auf die Schönheit und die positive Kraft meiner Gedanken zu konzentrieren. Ich bin schöpferisch, ich bin positiv, ich bin kreativ und kann alles erreichen, was ich möchte. Ich sehe nun die Schönheit und das Leuchten deiner Kraft in mir sowie in allen Menschen, die mir heute begegnen.

Ich danke dir für deine Hilfe und dass du mein Leben verschönerst. Du bist wunderbar!

Erzengel Metatron

Vielleicht ist Ihnen schon aufgefallen, dass es nur zwei Erzengel gibt, die nicht mit „el" enden. Das sind zum einen Erzengel Metatron und Erzengel Sandolphon. „El" bedeutet „Gottes" – also, wie wir bei den vorherigen gesehen haben, „Schönheit Gottes" oder „Gnade Gottes".

Nun waren Erzengel Metatron und Erzengel Sandolphon ursprünglich sterbliche Menschen. Metatron ist der Jüngste unter den Erzengeln und er soll im sterblichen Leben der Prophet Enoch gewesen sein, jener, der das Buch Raziel empfing – eine heilige Schrift über Gottes Schaffen. Diese heilige Schrift wurde von Erzengel Raziel niedergeschrieben und dann an Adam, Noah, Salomon und eben auch an Enoch weitergegeben. Es heißt, Enoch wurde dadurch sofort in den Himmel erhoben und bekam von Gott Flügel verliehen. Er verwandelte sich in einen mächtigen Erzengel namens Metatron. Dieser Name bedeutet so viel wie „Prophet Gottes".

Die Energie Metatrons ist unglaublich mächtig und stark, feurig und energisch. Wenn man ihn ruft, gibt es kein Wenn und Aber. Er hat eine durchschlagende Kraft und seine Energie wirkt wie ein Laserstrahl. Befinden wir uns in einer absoluten Notsituation, wo wir anscheinend keinen Ausweg sehen, dann hilft Metatron mit seiner einzigartigen Kraft, die er so fokussieren kann, dass sie durchschlagend wirkt!

Er hilft uns, die Angst vor dem Tod zu überwinden und uns anhand seines Beispiels zu zeigen, dass wir alle unsterblich sind.

Er ist auch eine der besten Hilfen, wenn es um Kinder geht. Er hilft Kindern mit Lernschwierigkeiten und ist eine tolle Hilfe für Eltern, ihre Kinder besser zu verstehen. Sei es eben bei Lernschwierigkeiten, während eines Wachstumsschubs oder in der Pubertät.

Oft sind Kinder mit Lernschwierigkeiten nichts anderes als Kinder, die anders lernen, die künstlerisch sehr begabt sind oder ein anderes Denkvermögen haben, in ihnen schlummern aber echte Führungsqualitäten. Deshalb fallen sie auf und scheinen den normalen Unterricht zu „stören". Dort hilft Metatron, dort schreitet er ein und gibt den Kindern ihr Selbstbewusstsein wieder, nimmt Stress, stärkt die Fußchakren und verhilft zu einer besseren Konzentration und einem ruhigen Denken. Bei einem Wachstumsschub oder in der Pubertät passiert Folgendes: Es kommt ein ganz bestimmtes Rot in die Aura hinein, woran ich sehen kann, dass gerade ganz viel – auch hormonell, oder bei Babys das Zahnen – in den Kindern passiert. Die Jungs kann das Rot sehr aggressiv machen, launisch und ablehnend, und die Mädchen auch mal weinerlich oder hysterisch. Diese Emotionen gehören dazu, sollten aber alle in einem gewissen Maße sein. Wenn Sie also das Gefühl haben, dass es zu viel ist – falls ein Junge zum Beispiel gar nicht mehr aus seiner Wut herauskommt oder ein Mädchen sich nur noch zurückzieht und an nichts mehr teilhaben will –, dann sollten Sie sofort Erzengel Metatron rufen. Er kann mit seiner Kraft und Bestimmtheit in Sekundenschnelle die Energien verändern.

Ich könnte noch lange über diesen tollen Erzengel schwärmen. Probieren Sie ihn aus, wenn Sie sich geführt fühlen! Und vergessen Sie ihn nie in einer Notsituation!

- Überwinden der Angst vor dem Tod
- Hilft Kindern bei Problemen – vor allem bei Lernschwierigkeiten, Wachstumsschüben oder in der Pubertät

- Probleme mit Kindern – tolle Hilfe für die Eltern
- Notsituation

Gebetsvorschläge:

1) Geliebter Erzengel Metatron, du überaus mächtiger, starker, feuriger und energischer Engel, ich bitte dich nun an meine Seite. Ich brauche jetzt sofort deine laserartige, zielstrebige Energie. Ich befinde mich im Moment in einer ausweglosen Situation: … (Beschreibung der Situation). Ich weiß wirklich nicht mehr weiter und ich bitte dich um deine sofortige, mächtige Hilfe. Es gibt sicher eine Lösung, nur kann ich sie im Moment nicht erkennen. Aber ich weiß, dass es immer eine Lösung gibt. Bitte löse alles von mir, was mich verschleiert, und schenke mir deine positive Macht, deine Stärke, dein Feuer und deine Energie und zeige mir Schritt für Schritt deine wunderbare, göttliche Lösung! Mit deiner Hilfe wachse ich, mit deiner Hilfe schaffe ich es und werde von Tag zu Tag strahlender und sicherer!Es gibt eine Lösung für mich! Ich danke dir aus tiefstem Herzen und ich liebe dich über alles!

2) Geliebter Erzengel Metatron, du überaus mächtiger, starker, feuriger und energischer Engel, ich bitte dich nun an meine Seite und an die Seite meines Kindes (Name). Wir brauchen jetzt sofort deine wunderbare, laserartige und starke Energie. Wir befinden uns gerade in einer schwierigen, ausweglosen Situation: … (Beschreibung der Situation). Ich weiß wirklich nicht mehr weiter, oder wie ich meinem Kind … (Name) noch helfen soll, und bitte dich um deine mächtige und sofortige Hilfe, und bitte fließe auch zu allen Personen, die an dieser Situation beteiligt sind. Wir brauchen jetzt eine Lösung, die für mein Kind das Beste ist. Du weißt es besser als ich. Löse jetzt alles ab, was uns verschleiert, und schenke uns deine positive Macht, deine Stärke, dein Feuer und deine Energie und zeige uns Schritt für Schritt deine wunderbare, göttliche Lösung! Leite uns an, das Richtige zu tun! Mit deiner Hilfe wachsen wir, mit deiner Hilfe schaffen wir es und werden von Tag zu Tag strahlender und sicherer! Ich danke dir aus tiefstem Herzen für deine mächtige Intervention und ich liebe dich über alles!

Erzengel Michael

Erzengel Michael ist besonders groß, feurig und strahlend. Rufen Sie ihn an, werden Sie von seiner Hitze erfüllt – es kann Ihnen richtig heiß werden und er wird Ihre Ängste oder Sorgen wie wegbrennen! Er verhilft uns zu einem neuen Selbstwertgefühl und einer neuen Achtung und erfüllt uns schlagartig mit Vitalität und Energie. Sein Name bedeutet „Der, der wie Gott ist". Unter allen Erzengeln ist Michael der Anführer, er hat die Verantwortung für alle Engel.

Für die Menschheit ist er der beste Beschützer, den es gibt. Ich rufe ihn immer während meiner Arbeit, denn er kann alles reinigen, klären, energetische Schnüre durchtrennen, Verstrickungen und Giftstoffe lösen und verleiht uns Mut und Tapferkeit. Er kann jegliche Angst, Panik oder Sorge eintauschen in Mut, Tapferkeit und Kraft. Ich nenne ihn gerne die Polizei unter den Engeln, und wenn er kommt, umgeben von seiner ganzen Engeltruppe, dann können Sie sicher sein, dass aufgeräumt wird. Er sorgt für Recht und Ordnung und niedere Energien haben keine Chance. Er erscheint normalerweise immer mit seinem Schwert, womit er alles durchtrennen kann. Er reinigt nicht nur unser Energiesystem, sondern Sie können ihn auch für Ihr Haus rufen, das Auto, eine Schule, den Kindergarten, einfach für alles, wo Reinigung benötigt wird!
Sie können sich auf ihn verlassen, er ist ein toller Erzengel und er wird Ihr Leben zum Besseren wandeln und Sie anleiten, sich auf die göttliche Welt zu verlassen!

- Der beste Beschützer
- Die Polizei unter den Engeln
- Löst alle energetischen Schnüre, Verstrickungen, Giftstoffe, Ängste und Sorgen

- Reinigt und klärt alles
- Bringt Mut, Tapferkeit, Energie und Kraft

–   Sorgt für Recht und Ordnung

Gebetsvorschlag:
Feuriger Erzengel Michael, du wunderbarer Beschützer, bitte komm jetzt zu mir, komm mit deiner Truppe von Engeln an meine Seite und hilf mir. Ich brauche jetzt eine porentiefe Reinigung. Ich bin bereit, alles abzugeben, was nicht voller Licht ist. Alle Negativität, Ängste, Sorgen, Panik, Giftstoffe und Verstrickungen darfst du mit deinen göttlichen Helfern nun von mir nehmen. Ich atme ein und aus und lasse geschehen. (Warten Sie hier ruhig einige Minuten.)
Als Nächstes darfst du mir jegliche energetischen Schnüre – zu anderen Menschen – mit deinem Schwert durchtrennen. Säubere alle, mit denen ich verbunden war. Sende alle Energien, die zu den anderen Personen gehören, jetzt ganz zu ihnen zurück, und alle meine Energien, die zu mir gehören, kommen jetzt ganz zu mir zurück und sie stehen mir jetzt wieder vollkommen zur Verfügung!
Es ist wundervoll, dass es dich gibt.
Bitte erfülle mich jetzt mit neuem Mut, Tapferkeit, Energie und Kraft und bleibe bitte an meiner Seite. Ich bin dir so dankbar für deinen Schutz! Herzlichen Dank, strahlender Michael!

Erzengel Raguel

Der Name Raguel bedeutet „Freund Gottes". Erzengel Raguel ist wunderbar, denn er liebt es, sich für die Schwächeren, Benachteiligten und die Menschen einzusetzen, die sich alleine fühlen. Wie ein guter Freund steht er ihnen zur Seite und versucht, für Ordnung und Gerechtigkeit zu sorgen.

Er ist ein ganz warmherziger, freundlicher und fairer Engel und man spürt sofort diese verständnisvolle Schwingung, die sich wie eine warme Decke um uns legt. Es ist so schön, ihn bei sich zu haben und seinen Frieden zu spüren!

Er heilt jede Art von Beziehungen und ist uns ein guter Freund, um die Wahrheit zu erkennen, ob es eine Heilung gibt für eine Beziehung oder ob es an der Zeit ist, diese Illusion aufzugeben und loszulassen. Auch kann er uns helfen, neue Freunde zu finden, und er ist wunderbar, wenn man in einem Team arbeitet – Raguel steht für Teamwork!

Er ist ein so hilfsbereiter Engel, ein so liebevoller Freund, der eine grenzenlose Bereitschaft besitzt zu helfen, und er möchte niemals, dass wir uns alleine fühlen. Tun Sie das doch einmal, dann ist es an der Zeit, Erzengel Raguel zu rufen, er wird Ihnen die Augen öffnen und Ihnen zeigen, wie schön das Leben ist, dass Sie umgeben sind von liebenswerten Freunden und Sie nur Ihre Herztüre öffnen müssen, um sie hereinzulassen!

Mit Raguel werden Sie nie wieder alleine sein!

- Sorgt für Ordnung und Gerechtigkeit
- Hilfe für alle schwächeren, benachteiligten Menschen oder die, die sich alleine fühlen

- Heilung in Beziehungen
- Löst Konflikte
- Teamwork (in der Arbeit, in der Familie, in einer Mannschaft …)

- Fördert Freundschaft

Gebetsvorschläge:

1) Mein warmherziger, freundlicher und fairer Erzengel Raguel, danke, dass du jetzt an meiner Seite bist und mir in der Beziehung mit ... (Name der anderen Person/en) zu einer gerechten Lösung verhilfst. Bitte zeige uns, die wir an dieser negativen Situation beteiligt sind, wie wir unsere Streitigkeiten, unsere Differenzen in Liebe, Frieden und Harmonie verwandeln können. Ich weiß, dass es nie wirklich nötig ist, zu streiten, also bitte gib mir die Kraft, das Blatt zu wenden, sauge alles ab, was nicht der Liebe zwischen uns entspricht, und lasse uns diesen Konflikt niederlegen! Ich erkenne jetzt mit deiner freundlichen Hilfe die Wahrheit in dieser Beziehung, und entweder sie ist wieder angefüllt mit Liebe und gegenseitigem Respekt, oder es ist an der Zeit, ... (Name der anderen Person/en) gehen zu lassen und den Platz freizumachen für neue, warmherzige und liebevolle Freunde! Heile mein Herz und öffne mir meine Herztüre, sodass ich in deinem Schutz göttliche Liebe neu entfalten kann. Diese göttliche Liebe kommt jetzt durch mich zum Ausdruck und zieht all das in mein Leben, was ich brauche, um glücklich zu sein.
Es ist so wunderbar, dich an meiner Seite zu haben. Alles ist gut, und ich weiß, dass du das Beste für mich unternimmst!
Vielen Dank, Erzengel Raguel!

2) Mein warmherziger, freundlicher und fairer Erzengel Raguel, mein Herz ist so schwer! Ich fühle mich so alleine, so falsch an diesem Ort, was soll ich nur machen? Egal was ich tue, ich fühle mich alleine und bin auch nicht von liebevollen Freunden umgeben. Ich weiß, dass ich dich jetzt brauche, bitte komme jetzt an meine Seite und hilf mir!
Bitte sauge mir das Gefühl des Alleinseins aus meinem Herzen und meinem ganzen Energiesystem. Vielleicht bringe ich es auch schon aus einem früheren Leben mit, dann bitte löse es für mich auf!

Ich lasse jetzt los und mit deiner liebevollen Begleitung bin ich bereit, meine Augen neu zu öffnen und freundliche, wohlgesonnene Menschen um mich herum wahrzunehmen. Du öffnest jetzt meine Herztüre, legst deinen Frieden als Schutz um mich, und ich werde jetzt zu einem unwiderstehlichen Magneten für liebevolle, friedliche, harmonische, respektvolle Freundschaften. Du sorgst für mich und leitest mich auf dem Weg aus dem Alleinsein in das Gefühl des Verbundenseins! Vielen Dank für deine Hilfe und deine warmherzige Energie!

Erzengel Raphael

Mein geliebter Erzengel Raphael! Sobald Sie ihn rufen, umgibt Sie ein smaragdgrünes Licht! Es ist wirklich so, dass sich in Sekunden der ganze Raum verändert. Ich mache schon sehr lange nichts mehr ohne diesen wundervollen Erzengel. Sein Name bedeutet „Gott heilt" oder „Er, der heilt"! Raphael ist der mächtigste Heiler unter den Erzengeln und steht Ärzten, Heilern oder allen, die in einem heilerischen Beruf tätig sind, zur Seite. Sind Sie in einem heilerischen Beruf tätig, sorgt Erzengel Raphael dafür, dass die richtigen Klienten den Weg zu Ihnen finden. Er hat nicht nur die Gabe, wirklich den physischen Körper von Mensch und Tier zu heilen, sondern er versucht uns auch darin anzuleiten, was uns auf dem Weg zur Gesundheit unterstützt! Er ist immer wieder aufs Neue motiviert, uns zur Seite zu stehen und uns zu führen, sanft, zärtlich, fürsorglich und liebevoll, bis wir verstehen, was uns gut tut, was uns schadet und was wir verändern müssen, um ein gesundes, ausgeglichenes Leben zu führen. Dies gilt auch für jegliche Süchte! Und mit Erzengel Raphael ist es uns sogar erlaubt, seine Hilfe für andere zu erbitten. Also falls Sie nicht selbst betroffen sind, sondern zum Beispiel Ihr Ehepartner, bester Freund oder Ihr eigenes Kind von einer Sucht abhängig ist, dann dürfen Sie Raphael um seine sofortige Intervention bitten, und Sie können gewiss sein, dass er nicht nur Sie anleitet, das Richtige zu tun, sondern vor allem der süchtigen Person hilft, ihren Weg in eine bessere, gesündere Lebensweise zu finden. Falls die süchtige Person seine fürsorgliche Hilfe nicht annehmen möchte oder kann, dann steht Raphael geduldig neben ihr, gibt ihr Schutz und wartet!
Mit seinem warmen Licht kann er auch das Dritte Auge reinigen, heilen oder sogar öffnen. Das habe ich oft in meinen Seminaren mitbekommen, wie liebevoll Erzengel Raphael alles versucht, uns zu helfen, und wie sehr die Arbeit mit dem Dritten Auge in seinen Aufgabenbereich fällt.

Man findet Raphael auch im Testamentum Salomonis, wo aufgeschrieben ist, dass er König Salomon einen magischen Ring übergeben hat. Diesen Ring benutzte Salomon, um negative Energien zu bannen und abzulösen! Erzengel Raphael gibt also auch Schutz auf all unseren Wegen und Reisen durch das Leben und reinigt, immer zusammen mit Erzengel Michael, die Erde vor niederen, negativen Energien.

Ohne Zweifel ist man mit Erzengel Raphael sehr sicher, geborgen und von einem mächtigen Heiler umgeben!

- Mächtigster Heiler
- Hilfe bei Süchten
- Arbeit mit dem Dritten Auge
- Schutz
- Ablösen von negativen, niederen Energien

Gebetsvorschläge:

1) Lieber Erzengel Raphael, du wunderbarer, mächtiger, sanfter, liebevoller, zärtlicher und fürsorglicher Heiler, ich brauche jetzt deine Hilfe bei … (Beschreibung der Situation).
Ich weiß nicht mehr, was ich machen soll, und bitte dich jetzt, mich mit deinem wundervollen, machtvollen, smaragdgrünen Heilungslicht zu umgeben. Erfülle mich und meinen ganzen Körper damit, umgib mich mit deinem Schutz und durchtrenne jegliche Suchtschnüre. Ich bin verzweifelt und übergebe dir und Gott nun alles und lasse euch in meiner Situation wirken. Ich verspreche euch, offen und empfänglich zu sein für eure liebevolle, aber klare Anleitung und Heilung. Ich lasse jetzt alles los, was mir nicht gut tut, denn ich habe euch beiden alles übergeben und werde jetzt Schritt für Schritt von dir und Gott in meine neue Gesundheit geführt. Von euch werde ich nun auf eine neue Ebene erhoben, wo ich meine gottgegebene Gesundheit auf allen Ebenen wiederfinden darf.
Ich danke dir, mächtiger Heiler Raphael, und dir, lieber Gott, für eure Hilfe!

2) Lieber Erzengel Raphael, du wunderbarer, mächtiger, sanfter, liebevoller, zärtlicher und fürsorglicher Heiler, ich bitte dich heute um die Hilfe für … (Name der Person). Bitte statte ihr/ihm einen heilenden Besuch ab und umgib sie/ihn mit deinem wundervollen, machtvollen, smaragdgrünen Heilungslicht und deinem Schutz. Bitte beseitige alles, was … (Name) jetzt loslassen sollte, um gesund zu werden, und durchtrenne alle vorhandenen Suchtschnüre.

Schenke ihr/ihm jetzt neue Hoffnung, Glaube und Vertrauen, dass es einen Weg in ein gesundes Leben gibt. Ebne … (Name) jetzt den Weg und erfülle alles mit deiner göttlichen Heilungskraft.

Ich danke dir so sehr für deine Intervention und hoffe, dass … (Name) sich für dich öffnet, loslassen kann und ihre/seine gottgegebene Gesundheit wiedererlangen kann!

Vielen Dank!

Erzengel Raziel

Ich habe Erzengel Raziel schon kurz bei Erzengel Metatron erwähnt. Raziel hat alle Geheimnisse von Symbolen und göttlicher Magie im „Buch Raziel" niedergeschrieben. Er arbeitet ganz eng mit Gott zusammen und kennt daher alle Geheimnisse des Universums. Er gab dieses Buch an Adam, Noah, Salomon und an den Propheten Enoch weiter – dieser ist jetzt bekannt als Erzengel Metatron.

Sein Name bedeutet „Geheimnis Gottes". Er ist so voller göttlicher Liebe, Freude, Sanftmut, Intelligenz und so eng mit Gottes Energie verbunden, dass sich viele Menschen erst mal mit ihm schwertun, da er nicht gleich so präsent erscheint wie die anderen. Die Wahrheit ist, dass auch er sofort mit seinem weißen Licht bei uns ist, aber eine so hohe Schwingung besitzt, dass wir ihn öfter anrufen müssen, um seinen gewaltigen, positiven und liebevollen Einfluss wahrzunehmen.

Wenn man ihn dann mal wahrnimmt – seine ganze Liebe Gottes –, dann möchte man ihn nie mehr gehen lassen. Er schafft es, alles in einem größeren Zusammenhang zu sehen, und kann uns ein größeres Verständnis für eine Situation geben. Er kann hinter die Kulissen blicken, denn ihm sind keine Grenzen gesetzt. Es ist ihm ein Leichtes, karmische Zusammenhänge zu erkennen und dann auch zu heilen.

Es gibt immer ein großes Ganzes, nichts ist nur Zufall oder einfach so. Alles hat seine Erklärung, und die kann uns Erzengel Raziel vermitteln.

Er bringt Sie in Ihre Kraft, denn mit seiner Hilfe können Sie Altes hinter sich lassen, spirituell wachsen, und mit seiner Hilfe werden Ihre Ideen zu GOLD!

- Göttliche Liebe und Magie
- Karmische Lösung und Heilung
- Größere Zusammenhänge erkennen

- Einblick in die göttlichen Geheimnisse
- Spirituelles Wachstum
- Ideen werden zu Gold

Gebetsvorschlag:
Geliebter Raziel, DU, der Gott am nächsten ist, bitte komm an meine Seite und hilf mir jetzt, den größeren Zusammenhang in dieser Situation … (Beschreibung der Situation oder auch Erwähnung der Personen, die in die sorgenvolle Situation verwickelt sind) zu sehen und zu erkennen.
Bitte löse mir und allen, die darin involviert sind, alle begrenzenden Ängste, Sorgen, Glaubensmuster und alle damit verbundenen karmischen Verknüpfungen und heile sie mit Gottes Liebe und Magie.
Bitte öffne mir jetzt meinen Geist für die göttlichen Geheimnisse des Universums, hilf mir, spirituell zu wachsen und zu verstehen, denn so kann ich alles, was mich belastet, loslassen.
Meine neu gewonnene Freiheit gibt dir den Raum, mir Gott näherzubringen, denn du bist ihm so nahe! Erhebe mich auf diese klare, lichterfüllte Gottesebene, die mich jetzt wachsen lässt und porentief heilt! Ich liebe dich, Raziel, und ich liebe dich, Gott.
Danke für eure Hilfe!

Erzengel Sandolphon

Erzengel Sandolphon ist also der zweite Engel, dessen Name nicht auf „el" endet. Er lebte, wie sein Zwillingsbruder Enoch, ein sterbliches Leben auf Erden. Er wurde, wie Enoch, durch seine herausragende Arbeit auf Erden direkt in die himmlischen Sphären erhoben. Dort wurde er zum Erzengel verwandelt, um seine Arbeit von der himmlischen Ebene aus fortzuführen. Sein Name bedeutet auch „Prophet Gottes" und seine wichtigste Aufgabe ist es, die Gebete der Menschen zu Gott zu tragen. Erzengel Sandolphon ist ein ganz lieber und sanfter Engel. Er strahlt so tiefe Liebe aus, sie strömt förmlich aus seinem Herzen und legt sich um uns wie ein wärmender Mantel. Er verhilft uns dadurch zu mehr Liebe für sich selbst und mehr Verständnis für andere. Aggressivität und Frustration haben keinen Platz mehr, denn er erfüllt alles in seinem wunderbaren, sanften türkisen Licht.

Er wird auch mit Musik in Verbindung gebracht, da seine Einflüsterungen wie kleine Lieder wirken, und Sie sollten genau darauf achten, ob sogar seine Antwort durch ein Lied zu Ihnen kommt.

Wenn Sie ihn rufen, lassen Sie sich ganz auf ihn ein und verweilen Sie in der Stille, ansonsten kann es bei diesem sanften Engel sein, dass Sie eine seiner Botschaften überhören.

Er ist in seiner Energie ganz eigen, wirklich ganz von Liebe erfüllt und von Sanftheit durchtränkt. Er wird Ihre Gebete Gott überbringen und sie auch alle beantworten, er verlangt nur Ihre Aufmerksamkeit!

- – Heilt mit Liebe und Sanftheit
- – Lösen von Aggressivität und Frustration
- – Überbringen und Beantworten von Gebeten
- – Musik

Gebetsvorschlag:

Geliebter, liebevoller und sanfter Erzengel Sandolphon, bitte umhülle mich erst mal mit deiner wunderbaren türkisen Energie. Ich möchte so leuchten wie du, so voller Liebe und Sanftheit. Ich bitte dich, löse jetzt alle vorhandenen Aggressionen und Frustrationen aus mir heraus, die mir womöglich bei der Erfüllung meiner Gebete im Wege stehen! Ich atme ein und aus und lasse sie alle los und übergebe sie dir.

Sandolphon, mein liebster Überbringer und Beantworter meiner Gebete, ich bitte dich jetzt um deine Hilfe bei ... (sagen Sie ihm Ihr Gebet). Bringe mein Gebet so schnell wie möglich zu Gott. Ich danke dir so sehr für deine Hilfe. Da ich alle Aggression und Frustration losgelassen und dir übergeben habe, habe ich einen neuen Raum geschaffen, um deine sanfte Führung anzunehmen und deine klare Botschaft von Gott zu empfangen. In mir ist Ruhe und ich kann dich jetzt problemlos verstehen und höre deine sanfte Musik.

Ich danke dir für deine einzigartige Hilfe und die Beantwortung meines Gebetes, das mir so sehr am Herzen liegt!

Erzengel Uriel

Erzengel Uriel ist nun unser vorletzter Erzengel, sein Name bedeutet „Licht Gottes". Ein sehr schöner Name, finde ich, und er macht ihm alle Ehre! Er strahlt wirklich wie die Sonne und erhellt jede Situation, Beziehung und einfach das ganze Leben. Es ist unglaublich, Sie werden es wahrnehmen, wenn Sie ihn in Ihr Leben bitten! Es erhellt sich einfach alles und glättet vorhandene Wogen und Unebenheiten. Das können wir auch auf das Wetter übertragen: Wenn der Wind super stark bläst, bei Flutkatastrophen, Wirbelstürmen, Erdbeben, bei all diesem kann man auch Erzengel Uriel rufen, und er wird sofort versuchen, Licht in alles zu bringen und die Wogen zu glätten. Es war Uriel, der Noah warnte vor der kommenden Flut, sodass dieser noch Zeit hatte, die Arche zu bauen. Und er brachte den Menschen die Kabbala. Er besitzt ein unglaublich großes Wissen und eine reine göttliche Weisheit, nicht umsonst gilt er, mit Raziel zusammen, als weisester Erzengel. Er kann wirklich am schnellsten Licht in unser Anliegen bringen und durch seine Weisheit hat er ganz schnell eine praktische Lösung parat und versucht, uns sofort neue Wege aufzuzeigen, oder er versorgt uns mit neuen kreativen Impulsen oder eine brillante Idee kommt uns in den Sinn. Mit dem wundervollen Uriel ist alles möglich. ALLES!

- Erhellt jede Situation
- Schnelle Problemlösung
- Weisheit
- Naturkatastrophen

Gebetsvorschläge:

1) Lieber Erzengel Uriel, du bist so schön strahlend wie die Sonne. Bitte komme jetzt zu mir und erhelle mich, mein Leben und diese Situation ... (Beschreibung der Situation). Ich brauche ganz dringend deine Weisheit und deine Führung. Ich weiß, dass du mein Anliegen und auch alle Personen, die daran beteiligt sind, ganz schnell mit deinem göttlichen Licht versorgen kannst und gegebenenfalls auch alle Wogen glättest, sodass wieder Ruhe einkehren kann! So werde ich besser sehen können, was richtig oder falsch ist. Auch bin ich jetzt ganz offen und bereit für deine Informationen, die du mir über diese Situation zukommen lässt. Bitte hilf mir jetzt mit deiner Liebe, eine weise, wohlüberlegte Entscheidung zu treffen. Leite mein Herz an, das Richtige zu tun! Ich danke dir so sehr für deine Hilfe und bitte, umhülle mich auch weiterhin mit deinem göttlichen Licht, bis diese Situation durchströmt ist mit göttlichem Frieden!

2) Geliebter Erzengel Uriel, es gibt leider ein furchtbares Unwetter in ... (Ort und Beschreibung der Situation). Bitte glätte jetzt die Wogen des Sturmes und beruhige das Wetter. Bitte versuche, alles zu erhellen, und lege einen Schutz um mich und alle Menschen und Tiere, die diesem Unwetter standhalten müssen. Wenn du kannst, sauge doch bitte mit Erzengel Michael alle Ängste und Panik ab, und bitte segne diese ganze Umgebung jetzt mit deiner Ruhe und deinem Frieden und lasse uns alle in Weisheit handeln und reagieren.
Vielen Dank für deine Hilfe, du strahlender Engel!

Erzengel Zadkiel

Der Name Zadkiel bedeutet „Der Rechtschaffene Gottes"! Erzengel Zadkiel hat eine so gnadenreiche Energie, das kann man mit Worten eigentlich kaum erklären, man muss ihn spüren. Wenn Sie ihn rufen, verändert sich augenblicklich die Energie im kompletten Raum. Sie ist dann angefüllt mit Liebe, Gnade, Mitgefühl und Harmonie. Man spürt plötzlich, wie Ruhe, Frieden und Vertrauen im Herzen einkehren.

Seine Barmherzigkeit und Sympathie können jegliche Verhärtung, Groll, Verurteilung – also die negativen Erfahrungen einer Situation – aus dem Herzen lösen und es wieder heil und gesund machen.

Wenn Sie also Schwierigkeiten haben, sich selbst oder anderen zu vergeben, und wenn Sie Ihr verhärtetes Herz wahrnehmen können, dann rufen Sie Zadkiel an und bitten ihn um seine göttliche Hilfe.

Vergebung bedeutet loslassen, sich selbst freimachen von der negativen, emotionalen Verletzung, um dann wieder ein heiles Herz zu bekommen. Viele, viele Menschen tun sich bei der Vergebung schwer, weil sie glauben, wenn sie das tun, dann heißen sie das negative Verhalten eines anderen Menschen für gut. Aber das stimmt nicht, es ist nur sehr schlau, zu vergeben und loszulassen. Denn wenn Sie das tun, dann bedeutet es, dass Sie einfach nicht mehr bereit sind, sich selbst mit Groll, Wut, Angst und all diesen negativen Emotionen zu vergiften. Sie selbst entscheiden sich, diese emotionale Vergiftung zu durchbrechen und innerlich in den Frieden zu kommen! Für sich selbst.

Es herrscht auf dieser Welt eine göttliche Ordnung, eine göttliche Gerechtigkeit und Rechtschaffenheit! Auch man es manchmal nicht glaubt oder es scheint, als ob der Mensch, der einem Böses angetan hat, so davonkomme, das stimmt nicht. Alles unterliegt einer göttlichen Rechtschaffenheit und früher oder später wird für göttliche Ordnung gesorgt!

Erzengel Zadkiel kann Ihnen ganz toll beim Vergeben helfen, es wird viel schneller gehen, als Sie vielleicht dachten! Wahrscheinlich wird es sogar anfangen, Ihnen Spaß zu machen, wenn Sie die Liebe, die Heilung und die neu gewonnene Freiheit in Ihrem Herzen spüren!

Ich verwende Erzengel Zadkiel auch immer auf Reisen. Ich rufe ihn immer ins Flugzeug, dass er seine Liebe verteilt, und augenblicklich fühle ich mich sicherer und von seinem sanften Licht umgeben.

Er kann jede Gruppenenergie verbessern und macht die Menschen verständnisvoll und friedvoller.

Es macht richtig Spaß, mit Erzengel Zadkiel zu arbeiten und die Veränderungen in sich selbst und im Außen zu sehen!

- Mitgefühl
- Vergebung
- Heilung des Herzens
- Lösen von Verhärtungen im Herzen
- Positive Veränderung der Raumenergie in Flugzeugen, Bussen, Zügen oder wo immer Menschenansammlungen sind

Gebetsvorschlag:

Mein wunderbarer, warmherziger Erzengel Zadkiel, bitte hilf mir, mein Herz zu heilen und zu vergeben. Ich sehe ein, dass mir der ganze Groll, meine Enttäuschung, meine Wut und all das Festhalten der alten, verletzenden Situation/en nichts bringt, sondern ich mich nur damit vergifte!

Ich selbst vergifte mich!

Das möchte ich nicht mehr und bin nun bereit, diese ganze/n Situation/en ... (Beschreibung der Situation/en und Name/n der Person/en) vollkommen loszulassen und dir alles zu übergeben.

Ich übergebe dir jetzt die ganze/n Situation/en und alle daran beteiligten Personen und weiß, dass du mir jetzt mit Gottes Hilfe allen Groll, alle Wut, alle Enttäuschung, alle Giftstoffe, alle Verhärtungen, alle Verbitterung meines Herzens absaugst. Ich atme tief ein und aus und gebe dir den Freiraum, alles zu heilen, was Heilung nötig hat. Hilf mir bitte jetzt, alles loszulassen und zu vergeben, ganz egal, was man mir angetan hat. Ich bin nicht mehr bereit, mich selbst zu vergiften.

Wenn ich jetzt mehr Frieden brauche, dann erfülle mein Herz damit. Wenn ich jetzt mehr Sanftmut brauche, dann erfülle mein Herz damit. Wenn ich jetzt mehr Liebe brauche, dann erfülle mein Herz damit. Wenn ich jetzt mehr Freude brauche, dann erfülle mein Herz damit. Wenn ich jetzt mehr Zuversicht brauche, dann erfülle mein Herz damit. Wenn ich jetzt mehr Gnade und Barmherzigkeit brauche, dann erfülle mein Herz damit.

Egal was ich jetzt brauche, du weißt es und ich nehme es an und versuche, es jeden Tag mehr wachsen zu lassen. Ich danke dir für meine Herzheilung!

Ich danke dir und Gott für eure Liebe und Hilfe und bin tief gerührt in meinem geheilten Herzen!

Ganesh

Ganesh ist der Hindu-Gott des Wohlstandes und Reichtums. Er ist der elefantenköpfige Gott aus Indien. Es gibt viele Legenden um ihn, aber eine ist mir immer wieder begegnet: Ganesh verlor durch den Zorn seines Vaters seinen Kopf, und seine Mutter setzte ihm den ersten Kopf auf, den sie finden konnte – das war der Kopf eines Elefantenbabys.

Die Wahrheit ist, dass man Ganesh in allen Bereichen des Lebens anrufen kann. Er ist zwar groß, stark und bildlich gesehen kann man ihn sich vorstellen wie einen großen Elefanten, der einem den Weg freistampft – nichts ist ihm ein Hindernis –, aber er ist eine der liebevollsten, liebenswertesten und fürsorglichsten Gottheiten, die ich kenne!

Er möchte gerufen werden. Er liebt es, selbst in den schwierigsten Momenten des Lebens zu helfen. Er freut sich richtig, uns die Ängste und Sorgen abzusaugen und für uns Hindernisse aus dem Weg zu räumen. Also scheuen Sie sich nicht, ihn um Hilfe zu bitten – egal in welcher Situation! Im Hinduismus ist er die Gottheit, die als erste angerufen wird, und das können Sie auch tun. Man hat mit ihm alles auf einmal, er ist wie ein schützender Vater und eine liebende Mutter zugleich! Gibt es etwas Besseres als diese Kombination?

Und zudem besitzt er auch eine tiefe Weisheit, womit er uns sicher durch die größten Turbulenzen steuern kann.

Sie merken schon, ich schwärme von ihm. Aber ich liebe und schätze ihn sehr und er ist einer meiner ständigen Wegbegleiter, auch bei meinen Engelreadings ist er einer meiner Führer und ich kann sicher sein, dass ich nur Positives empfange, denn Negativität hat neben ihm keinen Platz. Ich lade Sie ein, ihn auch in Ihr Leben zu lassen, er wird Sie nicht nur beschützen und liebevoll umhüllen, sondern wirklich Ihr Leben bereichern.

- – Wohlstand und Fülle
- – Fürsorgliche Liebe
- – Schutz

-   Beseitigung aller Hindernisse
-   Weisheit
-   Positivität

Gebetsvorschlag:
Mein geliebter, fantastischer Ganesh, ich verneige mich vor dir und bitte dich nun um deine Hilfe. Ich bin verzweifelt, denn ein großes Hindernis liegt auf meinem Weg … (Beschreibung der Situation).
Ich brauche dich jetzt und bitte dich, das Hindernis zu beseitigen, das mich in meinem Weiterkommen behindert. Ich bin bereit, mit deiner Hilfe mein dazugehöriges inneres Muster zu lösen. Ich übergebe es dir und ich danke dir, dass du alle Negativität aus dieser Situation löst, mir jetzt meinen Weg ebnest und ich meinen weiteren Weg, gebettet auf Gottes Segen, begehen kann, sodass ich mich an keinem Stein mehr stoße! Ich freue mich auf diesen inneren und äußeren Wechsel!
Ich bin bereit für deine fürsorgliche Liebe, deinen Schutz, deine Weisheit und deine starke Führung.
Ich lasse mich jetzt von dir führen, in ein Leben voller Wohlstand, Positivität und göttlicher Fülle.
Ich bedanke mich für deine Segnungen und deine beschützende Hilfe!
Und es ist wunderbar, dass mein Leben durch dich wieder in den Fluss kommt!
Danke!

Hilarion

Hilarion ist ein aufgestiegener Meister. Er war zu Lebzeiten ein großer Heiler und ist es immer noch. Er ist so wunderbar stark, dass man sich sofort sicher und geborgen fühlt, wenn man ihn ruft. Er umgibt uns mit seinem wunderbaren grünen Heilungslicht und dringt bis auf die tiefste Ebene zu uns durch.

Er steht im engen Kontakt mit Erzengel Raphael und Djwal Khul, und zusammen sind sie das beste Heilertrio, das es gibt. Sie sind begnadete Heiler!

Sie müssen sich also nicht auf nur einen Heiler beschränken, Sie können auch diese drei göttlichen Helfer um Heilung bitten.

Kommen wir zurück zu Hilarion, er ist immer mit seinem ganzen Herzen dabei. Für mich ist seine große Qualität die, dass er die Menschen mit seiner Liebe mitten ins Herz treffen kann. Sobald Sie ihn rufen, werden Sie sich im Herzen berührt fühlen.

„Fühle dein Herz, spüre deine Wahrheit und folge deinem Weg" – das sagte er zu mir, als ich mich auf dieses Buch vorbereitete und mich mit jedem einzelnen Engel und Meister befasste. Das ist sein Leitsatz, seine Botschaft an uns. Und er meinte weiter, dass Wahrheit ein großes Thema für ihn ist. Wahrheit ist mit das Wichtigste im Leben, denn nur mit der Wahrheit kann man wachsen und Probleme lösen.

Er ist ein wunderbarer Meister und er hilft allen bedingungslos, die Heilung benötigen oder die in einer Heilungsarbeit tätig sind.

Wenn Sie also im heilerischen Bereich tätig sind, Reiki geben, Massagen durchführen, Chiropraktiker sind oder sogar Chirurg, kann unser wunderbarer Hilarion Ihnen, zusammen mit Erzengel Raphael und Djwal Khul, zur Seite stehen. Bitten Sie diese drei großen Heiler um Führung und Hilfe, und zwar tatsächlich auch in Ihre Hände hinein. Sie werden Ihnen nicht nur die Handchakren öffnen, sondern auch die Führung Ihrer Hände übernehmen, sodass Sie sie immer an der richtigen Stelle haben – wo Heilung benötigt wird. Das schönste Geschenk dabei wird sicherlich sein, dass sie

Ihnen zu heilenden Händen verhelfen werden. Vertrauen Sie einfach auf die Führung dieses göttlichen Trios!
Und vertrauen Sie Hilarion, dass er Ihr Herz berührt!

- Heilung
- Heilung des Herzens
- Fühle dein Herz, spüre deine Wahrheit und folge deinem Weg
- Für alle, die heilerisch tätig sind

Gebetsvorschlag:
Mein geliebter Hilarion, du bist ein so wundervoller Heiler. Ich brauche jetzt dein Heilungslicht bei … (Beschreibung, wo man es braucht). Umhülle mich jetzt und dringe tief in jede meiner Zellen ein, dass du sie erneuerst und wieder aktivierst.
Bitte erfülle jetzt mein Herz mit deinem grünen Licht und berühre mich darin ganz tief, so kann es wieder heil werden und ich kann mich regenerieren.
Zudem verhilf mir zu der Wahrheit in dieser Situation, denn nur die Wahrheit kann mir helfen, etwas zu ändern oder zu verbessern, falls das nötig sein sollte.
Ich fange an, mein Herz wieder zu fühlen, und mit deiner wunderbaren Hilfe kann ich meinem göttlichen Weg wieder folgen!
Danke für deine Heilung auf allen Ebenen und danke, dass es dich gibt!

Isis

Isis ist eine wunderschöne ägyptische Mondgöttin und gilt als die Hohepriesterin der Magie! Sie erweckte ihren ermordeten Ehemann wieder zum Leben und holte ihn, durch ihre Magie, aus dem Totenreich zurück ins Leben.

Sie besitzt eine unglaubliche Kraft und war eine große Heilerin ihrer Zeit. Heute ist sie es immer noch für uns. Sie steht Ihnen jederzeit zur Verfügung und kann auch in Notfallsituationen super helfen, oder auch, wenn Sie das Gefühl haben, dass Sie etwas Vergangenes belastet. Dann können Sie getrost Isis rufen, denn sie kann vergangene Leben auflösen und ausgleichen.

Wenn sie kommt, dann verändert sich die Raumenergie spürbar. Sie symbolisiert so viel weibliche Kraft, Stärke und Magie. Als sie in der Meditation einmal vor mir stand, sah ich eine ganz feine, zarte Frau, aber mit so viel magischer Ausstrahlung, dass ich sie einfach nur auf mich wirken lassen konnte. Ich nahm einfach nur ihre Energie in mich auf und sie verhalf mir sofort zu mehr Freude und Selbstachtung. Man fängt an, an sich selbst zu glauben und seine eigene Schönheit zu genießen – die innere und äußere Schönheit. Es ist, als ob sie uns auffordert: „Steh zu deinem wahren Wesen!", und gleichzeitig gibt sie uns dann die Kraft dazu. So ging es mir und geht es mir immer, wenn ich sie an meine Seite bitte. Sie ist wie eine nährende Mutter, die weiß, dass man es schafft, und sie lässt keine Zweifel gelten. Sie ist da und ihre Magie macht das Leben besser! Sie besitzt eine wahnsinnig friedliche Energie, und falls Sie im heilerischen Bereich tätig sind, rufen Sie sie an Ihre Seite und lassen Sie sie Wunder vollbringen. Mit ihr liegt Magie in der Luft!

- – Göttliche Magie
- – Auflösen und ausgleichen von früheren Leben
- – Innere und äußere Schönheit
- – Weibliche Stärke, Kraft und Freude

- „Steh zu deinem wahren Wesen!"
- Selbstachtung

Gebetsvorschlag:
Meine geliebte Isis, du wunderschöne, zarte, aber starke Mondgöttin, ich lade dich jetzt ein, zu mir zu kommen. Bitte beschenke mich mit deiner göttlichen Magie und deiner friedlichen Energie!
Lass mich so sein wie du, voller Freude, Selbstachtung und Schönheit. Ich nehme deine wundervolle, nährende Energie jetzt in mich auf und gebe dir den Platz, mit mir zu arbeiten. Löse alle vergangenen Leben, die mich noch daran hindern, mein wahres Selbst zu leben.
Ich weiß, dass ich gut bin, ich weiß, dass ich Gutes verdient habe, und ich weiß, mit dir an meiner Seite wird alles GUT! Ich danke dir für deine Magie und dafür, dass du damit mein Sein erfüllst und Wunder geschehen lässt!

Ixchel

Für mich ist Ixchel eine kraftvolle Medizinfrau und Heilerin, so stark, dass sie alles zum Fließen bringen kann. Alles, was angestaut ist, bringt sie wieder in den Fluss. Sie ist eine Mondgöttin der Mayas. Sie können sich vielleicht vorstellen, über was für eine Kraft sie verfügt. Unglaublich!

Sie ist die Gebieterin des Regens und vor allem des Regenbogens. Ihre Heilungsenergie ist das Regenbogenlicht – ein weißes Licht, in dem sich alle Farben spiegeln. Über das gleiche Heilungslicht verfügen auch Serapis Bey und Erzengel Raziel. Sie können also auch diese drei großen Heiler zusammen um Unterstützung bitten, wenn Sie ganz dringend wieder etwas in Fluss bringen müssen. Das kann ein körperlicher Stau sein, ein Stau auf der Straße, ein Geldstau, also überall da, wo sich was angestaut hat und Sie selbst nicht mehr weiterkommen.

Früher heilte sie mit ihren heiligen Libellen. Das Schwirren der Flügel erzeugte eine heilende Schwingung, welche die angestaute Energie der Kranken wieder in Fluss brachte.

Noch heute kann man ein Summen oder Rasseln wahrnehmen, wenn man Ixchel ruft. Erschrecken Sie sich nicht, falls Sie ein Brummen im Ohr wahrnehmen, dann können Sie sicher sein, dass Ixchel mit ihren heiligen Libellen schon an Ihnen und Ihrem Problem arbeitet! Öffnen Sie sich einfach für sie und werden Sie zu einem Kanal für ihre göttliche Heilungsenergie.

- – Heilung
- – Heilt mit dem Regenbogenlicht
- – Löst jeglichen Stau auf
- – Bringt in den Fluss

Gebetsvorschlag:

Wunderbare Maya-Göttin Ixchel, bitte komme zu mir und umhülle mich mit deinem Regenbogenlicht. Du legst jetzt einen göttlichen Schutz um mich, sodass ich jetzt loslassen kann. Ich bin sicher und beschützt und übergebe dir und deinen heilenden Libellen jetzt mein Problem … (Beschreibung des Problems, des Staus in Ihrem Leben).

Ich stehe in der Kugel deines Regenbogenlichts und werde immer mehr zu einem Kanal für deine göttliche Heilungsenergie. Du löst jetzt jeglichen Stau auf in meinem Leben und alle negativen Energien, die in der Stauung festgehalten waren. Du bringst alles wieder in den göttlichen Fluss. Danke, dass du mich in deine Liebe hüllst, und ich weiß, ich bin jetzt frei und alle anderen an der Situation Beteiligten sind es auch. Alles beginnt zu fließen und sich mit deinem Regenbogenlicht zu füllen.

Ich danke dir und deinen heiligen Libellen für diese Heilung!

Kali

Der Name Kali bedeutet „die Schwarze, die Dunkle"! Ihre Wurzeln liegen im Hinduismus und sie gilt als die Verkörperung des Zornes der Göttlichen Mutter. Sie soll sich aus Mitgefühl manifestiert haben, um gegen die Dämonen – das Negative – zu kämpfen!

Viele Menschen haben Angst vor ihr, und vielleicht haben Sie auch ein mulmiges Gefühl im Bauch bekommen, während Sie diese ersten Zeilen über Kali gelesen haben?!

Ich weiß, sie steht für Kampf und Tod, aber genauso gut für Neubeginn und Wachstum und vor allem für Schutz. Ich kann Ihnen versichern, wenn Sie Schutz brauchen oder nicht mehr weiter wissen, wahnsinnige Angst haben, dann rufen Sie Kali in Ihr Leben. Sie räumt auf! Erschrecken Sie nicht vor ihr. Sie kommt mit einer Wucht, mit einer Kraft, einer Klarheit und mit einer kompromisslosen Stärke, mit so viel Leidenschaft, dass manch einer Angst bekommt und diese Leidenschaft mit Zorn verwechselt. Ja, sie besitzt eine zerstörerische Kraft, das ist keine Frage, aber sie setzt sie nur ein, wenn es nötig ist. Wenn Sie also in einer festgefahrenen Situation verweilen, etwas loslassen sollten, aber aus Angst nicht wollen, und Sie bitten sie dann an dieser Stelle um Hilfe, wird sie Ihnen mit ihrer Klarheit eine neue Möglichkeit aufzeigen. Wenn dabei etwas kaputtgehen muss – und das tut das Alte immer, wenn man es loslassen soll –, dann unterstützt Kali aber auch den Wechsel, steht uns schützend zur Seite und verhilft uns mit ihrem Segen zu einem fulminanten Neubeginn!

Sie ist eine solch tolle, einmalige Hilfe, dass ich es eigentlich kaum beschreiben kann. Mit ihr an der Seite kann man durchschlagende Erfolge erzielen, sein Leben klären und mit neuem Mut, Motivation, Tatenkraft und Sicherheit den Wechsel im Leben vollziehen.

Keine Unehrlichkeit kann ihrer göttlichen Kraft standhalten. Und genau das ist der Punkt: Es liegt an uns selbst, ob wir Angst vor ihrer göttlichen Kraft haben, nur weil sie klar und kompromisslos ist, oder ob wir wirklich sehen, wie wunderbar Kali ist. Sie widmet uns ganz viel Schutz und Segen. Sie ist eine sehr liebende und befreiende Göttin!

Ich liebe ihre Kraft und ihr Mitgefühl für uns und danke ihr täglich für ihr Dasein. Kali ist wunderbar!

- Steht für Tod/Neubeginn, Sterben/Wachsen
- Löst alles Negative
- Klärung aller Situationen
- Loslassen
- Mut, Motivation, Tatenkraft
- Schutz
- Leidenschaft

Gebetsvorschlag:

Meine befreiende Göttin Kali, ich rufe dich und bin bereit, dass du mit deiner ganzen Kraft und Liebe zu mir kommst. Ich freue mich so, dass du deinen gewaltigen Schutz und deinen Segen um mich legst. Ich weiß, ich sollte loslassen, aber ich tue mich schwer. Ich habe Angst, Sorgen und fürchte mich vor der Zukunft! Bitte komme mit deiner ganzen Wucht, deiner ganzen göttlichen Kraft und deiner Leidenschaft in meine Situation … (Beschreibung der Situation). Räume für mich auf und für alle, die in diese Situation involviert sind! Bitte!

Ich brauche jetzt wirklich deine Klarheit, sodass ich die Wahrheit in allem erkennen und verstehen kann.

Ich bin nun auch bereit, alles loszulassen, was veraltet ist. Bitte hilf mir dabei, sauge alles von mir ab, aus der ganzen Situation und von allen, die an der Situation beteiligt sind. Das Alte darf einstürzen, es darf gehen, es darf absterben, weil ich weiß: So erschaffen wir beide einen neuen Freiraum für das wunderbare Neue.

Versorge mich mit neuem Mut, Motivation und deiner feurigen

Leidenschaft. Führe mich und zeige mir ganz klar, welche Schritte ich als Nächstes einleiten muss, um in ein neues Leben zu gehen! Mit deiner Hilfe gehe ich einem gesegneten und beschützten Neubeginn entgegen und ich freue mich darauf!
Vielen Dank.

Krishna

Krishna inkarnierte zwischen 3200 und 3100 vor Christus. Er ist eine vollständige Inkarnation – ein Avatar – und völlig eins mit dem kosmischen Bewusstsein.

Er stammt aus dem Hinduismus und ist wohl der beliebteste Gott Indiens. Sein Name bedeutet auf Sanskrit „dunkel" und symbolisiert das allerhöchste göttliche Bewusstsein. Er brachte den Menschen die „Bhagavad Gita", den wichtigsten spirituellen Text des Hinduismus. Dabei geht es um das unsterbliche Zwiegespräch zwischen der Seele und dem Geist. Mit neuer Übersetzung und neuen Kommentaren wurde es noch mal wunderschön aufgeschrieben von Paramahansa Yogananda. In der „Bhagavad Gita" geht es um die Wissenschaft der Selbstverwirklichung, um das eigentliche Yoga – das geistige Yoga.

Es ist für alle die, die sich aufrichtig bemühen, Gott zu finden, und das über den Weg des Kriya-Yogas.

Kriya-Yoga bedeutet bewusste und willentliche Beherrschung der Lebenskraft im Körper, damit sie sich nicht von festen oder flüssigen Stoffen, Sauerstoff oder Sonnenlicht abhängig macht, sondern ganz allein von der inneren Quelle kosmischen Lebens. (Ganz gleich, welcher geistigen Richtung Sie angehören.)

Wenn Sie Krishna rufen, werden Sie sofort fasziniert sein von seiner freudvollen, glückseligen Energie. Eine Welle von göttlicher Liebe wird Sie durchfluten. Er versucht, unsere Herzen zu öffnen, damit wir verstehen, dass wir zwar in einem sterblichen Körper leben, aber in Wahrheit reine, lichtvolle, göttliche Wesen sind.

Krishna sagt immer wieder: „Gib Liebe, gib vor allem Gott deine Liebe. Du kommst aus seinem Licht und gehst in dieses Licht auch zurück. Finde Gott während deiner Lebzeit, denn nur das bringt uns die ersehnte Liebe, Freude, den Frieden und die wahre Erlösung!"

So viel Liebe, so viel göttliche Liebe und Liebe für Gott erfährt man durch ihn. Krishna ist für mich vergleichbar mit Christus, sie sind zwei wunderbare Boten Gottes, die genau dann inkarnierten, als die Welt sie am meisten gebraucht hat.

- Pure göttliche Liebe
- Überbringer von Glück und Freude
- Kriya-Yoga
- Spirituelles Erwachen
- Vereinigung mit Gott

Gebetsvorschlag:

Liebster Krishna, du wundervoller Bote Gottes, Überbringer von göttlicher Freude und wahrem Glück, ich entschließe mich heute, Gott meine Liebe zu schenken.

Ich weiß, dass ich aus ihm entsprungen bin, ich komme von Gott und gehe auch wieder zu ihm zurück.

Bitte ziehe alles von mir ab, was mich verschleiert und mich daran hindert, deinem göttlichen Weg zu folgen, um wahre Selbstverwirklichung zu finden.

Hilf mir, frei zu werden von Angst, von Zorn und von meinem Verlangen nach der Befriedigung meiner Sinne.

Ich freue mich, spirituell zu wachsen und deine höchste Wahrheit zu empfangen.

Vielen Dank, du wunderbarer Bote Gottes.

Kwan Yin

Kwan Yin ist wohl die beliebteste und bekannteste aufgestiegene Meisterin in China. Sie wird auch „die Göttin der Barmherzigkeit und des Mitgefühls" genannt. Sie ist ein wundervolles Wesen, das sich entschieden hat, sich so lange für uns alle zur Verfügung zu stellen, bis alle Wesen die Erlösung gefunden haben. Damit zeigt sie uns ihre Barmherzigkeit und ihre allumfassende Liebe für alle Lebewesen.

Bitten Sie sie um ihre Hilfe, wird sie Sie mit so viel Gnade, Güte, Liebe, Vergebung und Heilung überschütten, dass Ihnen Tränen kommen können. Sie verlangt nichts zurück, sie will einfach nur geben und Wesen dieser Erde helfen.

Schon alleine durch dieses Verhalten öffnet sie unsere Herzen. Sie ist wunderschön und strahlt eine so große Sanftheit aus, es ist faszinierend. Als ich eine Zeitlang auf Hawaii lebte, war ich ganz gefesselt von den vielen Kwan-Yin-Statuen. Diese Kwan-Yin-Statuen hielten meistens eine Flasche in der Hand. Eine ältere Frau erklärte mir damals, dass sich in diesem Gefäß das heilende Wasser des Lebens befinde. Dieses heilende Wasser könne alles ausgleichen, jedes Ungleichgewicht, jedes Störfeld, und schenke Heilung auf allen Ebenen!

Kwan Yin ist eine große Heilerin und Friedensbringerin.

Sie hat mich damals tief berührt und begleitet mich bis heute.

Sie hilft uns, uns von jeglichem Karma zu befreien, unsere eigene Liebe im Herzen wiederzufinden und dadurch unser Herz neu zu entfalten! Mit ihr können wir vergeben, in den Frieden in uns selbst kommen, wir erleben Heilung und können dadurch das Lieben neu lernen.

Sie ist wundervoll geschmeidig und ich bin mir sicher, sie wird Ihr Leben bereichern.

-     Barmherzigkeit
-     Mitgefühl
-     Gleichgewicht

- Heilung
- Lösen von Karma
- Liebe

Gebetsvorschlag:
Meine geliebte barmherzige Kwan Yin, bitte komm jetzt zu mir
und hilf mir, so zu sein wie du. Barmherzig, mitfühlend, liebevoll,
ausgleichend und stark. Du bist so wundervoll. Hilf mir jetzt, steh
mir bei, wenn ich alles Ungleichgewicht, alles damit
zusammenhängende Karma aus meinem Leben dir übergebe und
mich jetzt von deinem heiligen Wasser heilen lasse.
Vor allem geht es um … (Beschreibung der Situation). Bitte heile
auch alle darin involvierten Menschen, dass wir uns gegenseitig
vergeben können und jeder seinen liebevollen Weg wieder
aufnehmen kann.
Du überschüttest uns jetzt mit deiner Gnade, Güte, Liebe,
Vergebung und Heilung. Du dringst tief in mein Herz und
versorgst es mit deiner unendlichen, göttlichen Liebe.
Mein Herz kann sich aufs Neue öffnen und du leitest mich an,
damit ich dieser Situation neu begegnen kann und mich über ein
friedliches, liebevolles und sinnvolles Leben freuen kann.
Herzlichen Dank, barmherzige Kwan Yin.

Kuthumi

Kuthumi ist ein aufgestiegener Meister. Er hat eine wahnsinnig sonnige und freundliche Energie. Sobald er da ist, lädt er uns wirklich sofort ein, glücklich zu sein! Er versprüht unsagbare Heiterkeit!
Und doch ist seine Energie ganz klar und kann uns zur Zielstrebigkeit verhelfen. Er ruft uns auf, dass wir unsere kostbare Zeit nicht vergeuden. Wir sollen glücklich, heiter, aber zielbewusst durchs Leben gehen.
Seine Leichtigkeit ist wirklich ansteckend, das werden Sie ziemlich schnell wahrnehmen. Er ist wie ein sanfter Windhauch, der unsere Angst wegbläst und dafür eine neue Energie, Heiterkeit, Neugier, Offenheit, Wissbegier und Leichtigkeit hinterlässt.
Er besitzt wirklich beide Komponenten: Er hilft uns, zielstrebig und geerdet zu sein, und gleichzeitig hebt er unsere Herzen in den Himmel.
Er ist wunderbar!

- Ängste loslassen
- Erdung
- Leichtigkeit
- Hebt das Herz in den Himmel

Gebetsvorschlag:

Mein geliebter Kuthumi, ich bitte dich jetzt um deine Intervention. Ich möchte dir jetzt meine ganzen Ängste übergeben, die mich schwer und traurig machen. Es geht ganz speziell um diesen Bereich: ... (Beschreibung, was Sie bedrückt).

Bitte reinige alles ganz porentief, alles, was mich zaudern lässt, was mich von meinem Weg abbringt, und vor allem, was mein Herz schwer macht. Vielen Dank für deine Hilfe und dass du mir zu einer Veränderung verhilfst. Du erdest mich und gleichzeitig lässt du mein Herz wieder fliegen. Durch deine Führung kann ich zielstrebig meinen Weg gehen, erfüllt von Leichtigkeit, Heiterkeit, Neugier und Freude auf das Neue, was kommen wird.

Wie du werde ich ein unsagbar starker Baum sein, tief verwurzelt und stark, aber meine Zweige ragen weit in den Himmel und genießen die Sonne!

Bitte lass alle Veränderungen, die jetzt kommen, ganz sanft und friedvoll geschehen und ich lasse mich leichten Herzens von dir führen.

Herzlichen Dank, mein lichtvoller Meister!

Lady Nada

Lady Nada ist eine aufgestiegene Meisterin. Im Sanskritwort bedeutet „Nada" „heiliger Klang", also den Om-Laut. Sie ist eine wunderschöne Meisterin, wirklich wunderschön. Ihre Energie umgibt uns wie ein Balsam und gibt uns so viel Geborgenheit und Liebe.

Sie möchte uns helfen, die negativen Energien umzuwandeln. Sie erklärte mir, dass sie einfach alles zum Positiven verwandeln kann. Alles ist Energie und alles hat seine Energieform. Negative Energien sind wie eine klebrige Masse, deshalb empfinden wir sie auch als so unangenehm. Was tun wir Menschen da normalerweise? Wir neigen dazu, diese klebrige Energie wegzudrücken, in der Hoffnung, sie fällt irgendwann von uns ab, weil wir sie ja lange genug versucht haben zu ignorieren. Aber wie wir wissen, ist es nicht so. Wir können also mit Lady Nada lernen, diese klebrige negative Energie anzunehmen, um sie dann umzuwandeln. Wir können mit ihrer Hilfe Wut in Liebe verwandeln.

Wichtig ist, dass wir die negativen Energien/Emotionen erkennen, annehmen, und dann können wir sie umwandeln in etwas Positives.

Und genau dabei hilft uns Lady Nada! Sie verwandelt Unmut in Mut, Wut in Liebe, Ablehnung des Körpers in Annehmen des Körpers, Egoismus in Verständnis.

Sie heilt mit ihrer reinen Liebe. Vielleicht sehe ich sie deshalb so oft Seite an Seite mit Mutter Maria.

Sie sind zwei so wunderbare Heilerinnen und ich kann Ihnen versichern, Sie werden nur so mit Liebe überschüttet von den beiden!

–   Geborgenheit und Liebe
–   Umwandeln von negativen Emotionen/Energien
–   Heilung mit reiner Liebe

Gebetsvorschlag:
Liebe, wunderschöne Lady Nada, bitte komme zu mir. Bitte hilf mir jetzt, meine negativen Emotionen umzuwandeln. Mit deiner Hilfe erkenne ich jetzt die Emotion, die ich verwandeln sollte, um Fortschritte zu machen. Bitte leuchte dein Licht der Liebe in diese klebrige Masse und ich nehme jetzt an, dass ich ... (Emotion) empfinde.

Erfülle jetzt auch mein Herz und meine Seele mit deiner Liebe und verwandle mir diese ... (Emotion) in das positive Gegenstück. Verwandele es in ... (positive Emotion)! Diese positive Emotion wächst nun mit jedem Atemzug, bis sie mich neu erfüllt und vollkommen umhüllt.

Ich danke dir so sehr, dass du so lange bei mir bleibst, bis sich alles zum Positiven umgewandelt hat.

Danke, dass du deine Segnungen über mir ausschüttest, damit ich neu wachsen kann!

Vielen Dank!

Lakshmi

Lakshmi ist die hinduistische Göttin für Schönheit, Fülle und Reichtum. Sie ist die Glücksgöttin, und ihre Mission ist es, ewige Glückseligkeit auf die Erde zu bringen. Jeder, der sie wirklich von Herzen zu sich ruft, wird augenblicklich von ihrer Schönheit verzaubert und mit ihrer einzigartigen Energie eingehüllt. Wie eine liebevolle Mutter gibt sie uns alles, was wir brauchen. Mit ihren „goldenen Händen" segnet sie uns mit Wohlstand, geistigem Wohlbefinden, Schönheit und ihrer Liebe. Eigentlich hat sie vier Hände – zwei goldene Hände und in den anderen beiden hält sie jeweils eine Lotusblüte. Auch steht sie auf einer großen Lotusblüte, dem Symbol für Reinheit und Vollkommenheit.

Sie ist eine sehr gütige und gnädige Göttin. Ihre Energie ist wirklich einmalig, und wenn Sie sich ganz auf sie einlassen können, dann kann sie Ihnen wirklich helfen, Ihre Augen zu öffnen, um die Schönheit, Großzügigkeit und das Verständnis wahrzunehmen, das um Sie herum existiert. Auch hilft sie dabei, finanzielle Ängste zu überwinden, um in den Fluss des Reichtums zu kommen.

Sie arbeitet sehr eng mit Ganesh zusammen. Sie können sich also vorstellen, was passiert, wenn Sie sich von beiden leiten lassen. Ganesh, der Ihnen den Weg freimacht und Ihnen wie ein riesiger Bodyguard zur Seite steht, und Lakshmi, die diesen neu gewonnenen Freiraum mit ihrer ganzen Fülle, dem ganzen Reichtum und vor allem mit dem ganzen Glück auffüllt. Eine wundervolle Möglichkeit, Ihr Leben aufzuwecken, neu zu gestalten, Türen auffliegen zu lassen, die vorher verschlossen blieben, oder sogar ein neues Leben anzufangen!

Lassen Sie diese Glücksgöttin in Ihr Leben, es kann nur was Glückliches dabei herauskommen!

- Glück
- Fülle und Reichtum
- Schönheit und Liebe

- Geistiges Wohlbefinden und Harmonie
- Neue Möglichkeiten

Gebetsvorschlag:

Geliebte Lakshmi, du wunderschöne Glücksgöttin, bitte komm jetzt zu mir. Du bist die Überbringerin von Glück, Fülle, Reichtum und neuen Möglichkeiten.

Bitte nimm alles von meinem Herzen, was mich bedrückt und meinem Glück, Reichtum und meiner Fülle im Wege steht! Mit deinen goldenen Händen heilst du jetzt alles, was Heilung benötigt, und segnest mich mit deiner göttlichen Fülle.

Ich öffne jetzt mein Herz für dich und bin erfüllt voller Dankbarkeit und Hingabe, dass du mir hilfst.

Ich liebe dich und weiß, du versorgst mich jetzt mit allem, was ich brauche. Ich entspanne mich jetzt, denn ich weiß, dass alle Reichtümer schon in mir enthalten sind und sich mit deiner göttlichen Hilfe entfalten. Ich folge deinem glücksbringenden Pfad und freue mich über jede segensreiche Türe, die sich ab heute für mich öffnet! Ich danke dir aus den Tiefen meines Herzens!

Maat

Maat ist die Tochter des Sonnengottes Ra und die ägyptische Göttin für Gerechtigkeit, Wahrheit und Rechtschaffenheit. Sie ist die personifizierte Weltordnung!

Sie versucht, alles im Gleichgewicht zu halten und alle Unebenheiten auszugleichen. Sie erlaubt sich niemals ein Urteil über uns, sondern möchte uns helfen, die Wahrheit zu erkennen, denn sie selbst ist die Wahrheit. Wenn Maat also Ihre Motive als wahr, rein und rechtschaffen ansieht, wird sie Sie sofort mit wärmender Liebe behandeln und Ihnen zur Seite stehen.

Sieht sie, dass wir falsch liegen, dann umhüllt sie uns mit ihrer Gerechtigkeit, Wahrheit und Rechtschaffenheit und überwacht unsere weiteren Schritte, bis wir wieder auf dem richtigen Weg sind!

Keine andere ist so stark und so gut für Situationen geeignet, die aussichtslos erscheinen! Mit ihrem Auftreten gibt sie uns sofort mehr Rückgrat, innere Stärke und einen unglaublichen Schutz.

Sie ist sogar so stark, dass sie uns vor Manipulation und Schwarzmagie schützen kann, und sie hilft uns beim Überwinden von Süchten und Zwängen. Sie geht mit ihrer göttlichen Kraft direkt zu unseren Fußchakren – dies ist der Bereich der göttlichen Fortbewegung. Sie hilft uns, Müdigkeit, schlechtes, aggressives Benehmen, Süchte und Zwänge zu überwinden, und sorgt dafür, dass wir uns in die richtige Richtung fortbewegen! Dass wir uns körperliche Bewegung verschaffen, um die Zellen zu stärken, Gesellschaft aufsuchen, die erhebend ist, uns für Wahrheit, Fairness, Mitgefühl, Recht und Ordnung einsetzen. Maat kann uns wirklich auf einen Weg der Tugend, des Gleichgewichtes und der Rechtschaffenheit führen. Wenn wir uns führen lassen, bereichert sie ungemein unser Leben!

- – Gerechtigkeit
- – Göttliche Ordnung und Weltordnung
- – Wahrheit kommt ans Licht

- Rechtschaffenheit
- Innere Stärke
- Schutz vor Manipulation und Schwarzmagie
- Auflösen von Suchtverhalten und Zwängen

Gebetsvorschlag:
Geliebte Maat, du mächtige Göttin für Gerechtigkeit, göttliche Ordnung, Wahrheit und Rechtschaffenheit, bitte komm jetzt an meine Seite und schenke mir deine innere Stärke und Kraft. Bitte erfülle jetzt auch meine Fußchakren. Bitte reinige sie jetzt mit all deiner Macht und sorge dafür, dass sich alle Süchte, Zwänge und Verschmutzungen aus ihnen herauslösen.

Du bist die Überbringerin der Wahrheit und ich bitte dich, dein göttliches Licht vollkommen in meine Situation ... (Beschreibung der Situation) scheinen zu lassen, und zu allen Menschen, die daran beteiligt sind! Erhelle jetzt mein Leben und zeige mir, was ich verändern kann, was ich verändern soll, um ganz befreit zu sein.

Erfülle meine Fußchakren, mein Herz und meine Seele mit deiner Weisheit und Liebe, sodass ich mit deinem Beistand einen neuen Weg begehen kann. Einen Weg voller innerer Stärke, Wahrheit, göttlicher Ordnung, Mitgefühl, Liebe und Rechtschaffenheit!

Die negative Situation und Energie löst sich jetzt zum Besten aller Beteiligten auf! Bitte schütze mich auch vor jeglicher Manipulation und Schwarzmagie.

Ich danke dir, dass du mir ein neues Fundament der Liebe aufbaust, auf dem ich mich ab heute fortbewegen kann in ein gesegnetes Leben!

Vielen Dank!

Maha Chohan

Maha Chohan ist ein aufgestiegener Meister und ein unglaublicher Führer und Lehrer! Er war wohl auch der Lehrer von Saint Germain und besitzt ein enormes Wissen und eine Weisheit, die er gerne mit uns teilt.

Seine Hilfsbereitschaft erfüllt uns sofort, wenn wir ihn rufen. Sie erfüllt den ganzen Raum und man empfindet sofort seine Liebe! Augenblicklich steht er bei uns und gibt uns neue Impulse und Ideen! Wie oft habe ich ihn neben mir erlebt wie einen unglaublich liebevollen Vater, der seine Arme um mich legte und mir einfach nur zu verstehen gab: „Ganz ruhig, öffne dein Herz und sage mir, wobei du Hilfe brauchst!" Vollkommen ruhig und besänftigend. Man fühlt sich sofort geborgen, sicher und beschützt und ist bereit, sich von ihm an die Hand nehmen zu lassen. Er übernimmt dann die Führung und bringt uns sicher ans Ziel!

Er ist ein toller Begleiter für alle, die auf der Bühne stehen oder einfach nur einen kleinen Vortrag halten wollen. Er erfüllt dabei unser Herz und unser Sprachzentrum, nimmt Nervosität und verbindet uns mit dem göttlichen, mächtigen Wissen. Seine türkise Energie strömt dann von uns zu allen Zuhörern und lässt uns von Herzen sprechen und die Herzen der Menschen berühren! Er lässt die Herzen aufgehen wie Blumen im Frühling!

- – Hilfsbereitschaft
- – Neue Impulse und Ideen
- – Bühnenpräsenz
- – Für alle, die unterrichten und lehren
- – Freier Ausdruck
- – Herzöffnung und Herzheilung

Gebetsvorschlag:

Mein geliebter Maha Chohan, bitte trete jetzt an meine Seite, du wunderbarer, hilfsbereiter Helfer des Herzens. Mein Herz und mein Ausdruck sind tatsächlich etwas blockiert, deshalb bitte ich dich, deine Arme um mich zu legen und alles zu entfernen, was mein Herz daran hindert, sich positiv und frei auszudrücken. Sauge alles ab, was mich ängstigt oder unsicher macht und mich dazu bringt, mein Herz und meinen Ausdruck lieber klein zu halten. Es ist jetzt die Zeit gekommen, um das zu ändern und dass du mir hilfst, dass ich in meine Kraft und Stärke finde!

Du göttlicher, versorgender Lehrer, ich will dein Schüler sein, ich möchte von dir lernen. Mit deiner großen Hilfe werde ich ein offenes, in Türkis leuchtendes Herz haben, so wie du. Dein Strom der Liebe, deine neuen Impulse finden durch mich den perfekten Ausdruck und ich kann durch dich viele andere Herzen berühren, dass sie aufgehen werden wie Blumen im Frühling! Herzlichen Dank, mein wunderbarer Maha Chohan!

Merlin

Bis heute kann man nicht ganz genau nachweisen, ob und wo Merlin wirklich gelebt hat. Er gilt als mächtiger Helfer von König Arthur in Camelot. Aber er wird auch mit Atlantis, Lemurien und Stonehenge in Verbindung gebracht. Was ich nicht bestreiten kann, ist, dass er ein großes Wissen von Atlantis besitzt und auch immer dann erscheint, wenn sich Dinge aus der atlantischen Zeit lösen wollen. In dieser Zeit war er ein unsagbar starker Zauberer und Hohepriester. Falls Sie das Gefühl haben, in Atlantis gelebt zu haben oder dass etwas Positives aus dieser Zeit zum Ausdruck gebracht werden möchte, dann rufen Sie ihn an Ihre Seite und er wird Sie führen, anleiten und heilen, bis Sie Ihr Potential leben. Wo er mir auch begegnet ist, war in Stonehenge. Ich saß neben dem Stonehenge-Kreis, als ich ihn im Kreis wahrnehmen konnte. Groß, mächtig und eingehüllt in eine unsagbare Energie. Dies ist in Worte kaum zu fassen, und für mich steht es außer Frage, dass er einer der mächtigsten Magier, Lehrer und Heiler war und ist, egal wo oder wann er gelebt hat! Ein Wissen breitet sich um ihn aus, ein magisches Wissen, das er weitergeben möchte. Wir müssen eigentlich nur als ein offener Kelch fungieren, der sich füllen lässt, um dieses Wissen dann nachher zu benutzen. Zudem hatte er immer Steine bei sich, Kristalle, wie in Atlantis. Mit diesen heilt er oder verhilft uns damit zu einer Verstärkung unserer eigenen Heilungskraft.

Geben Sie zum Beispiel Reiki, arbeiten Sie mit Aura-Soma oder sind anderweitig in einem Heiler-/Helferberuf tätig, dann bitten Sie ihn an Ihre Seite und er wird Ihre positive Energie um ein Vielfaches verstärken.

Er ist mir immer sehr liebevoll begegnet, aber auch sehr klar und mit einer unglaublichen Magie.

Keiner kann eine so schnelle Wende für uns herbeiführen wie er. Mit seiner Energie und Macht kann er Wunder vollbringen und dagewesene Grenzen sprengen.

Er kann so viel lehren, aber man muss sich wirklich für ihn öffnen, seinen Geist aufmachen, um seine Weisheit zu empfangen. Er ist wirklich ein sehr liebevoller, nachsichtiger Lehrer, der aber auch sehr streng sein kann. Er möchte, dass wir uns verbessern und erkennen, dass wir göttliche Wesen sind, die eine sehr große positive Kraft in sich tragen.

- Weisheit und Wissen
- Heilung
- Vermittelt Wissen aus Atlantis und Lemurien
- Arbeit mit Kristallen
- Hilfe bei allen heilerischen/helfenden Berufen
- Für eine schnelle Wende
- Sprengt vorhandene Grenzen
- Wachstum

Gebetsvorschlag:
Lieber, mächtiger Zauberer Merlin, ich lade dich heute an meine Seite ein. Bitte löse jetzt mit deinen magischen Kristallen all das aus meinem Energiesystem, was mich daran hindert, mich zu verbessern, zu wachsen und meine göttliche Kraft und Weisheit zu leben. Bitte sprenge jetzt alte Grenzen, die mich davon abhalten, mein ganzes Potential zu leben.
Ich brauche eine schnelle und wunderbringende Wende ...
(Beschreibung der Situation).
Ich trete jetzt innerlich ein ganzes Stück zurück und gebe dir und deiner mächtigen, göttlichen und magischen Energie Platz, um in dieser Situation und bei allen daran beteiligten Personen zu wirken.
Ich öffne mich und werde zum Kelch, der all dein Wissen und deine Weisheit aufnimmt und sich von dir führen lässt.
Du arbeitest bitte mit deinen Kristallen so lange an mir, bis sich alles zum Guten gewendet hat und ich mit dir Seite an Seite voranschreite.
Du mächtiger Zauberer Merlin, ich danke dir für deine Heilung und freue mich, dich an meiner Seite zu haben. Vielen Dank!

Mutter Maria

Maria ist bekannt als die Mutter von Jesus Christus. Sie wird nicht nur im Christentum verehrt, sondern wir finden sie auch im Koran als die jungfräuliche Mutter Jesu Christi, die dort vor allem von Frauen verehrt wird.

Als ich eine Zeitlang in Izmir (Türkei) lebte, besuchte ich dort das Haus der Mutter Maria. Ich muss sagen, dass dieses Land voller spektakulärer Schätze ist und viele Orte eine alte, magische Kraft besitzen, unter anderem das Haus der Mutter Maria. Es liegt nahe der Stadt Ephesus und gilt als zeitweiliger Wohnort und als möglicher Sterbeort Marias. Ich war voller Vorfreude und wirklich aufgeregt, was mich dort erwarten könnte, denn sie war schon lange eine sehr geschätzte Begleiterin von mir.

Ich muss ehrlich sagen, es war einer meiner bewegendsten Momente. Dieser Ort ist angefüllt mit der Liebe Mutter Marias und ich fühlte mich sofort mit ihr in Verbindung. Sie kam wie eine weiche Welle über mich und ließ mich nie wieder fallen.

Sie legte ihre Hand auf mein Herz und sagte zu mir: „Ich bin da, damit du alle Ängste fallen lassen kannst. Ich liebe dich und es würde mich freuen, wenn du diese göttliche Liebe weitergeben würdest, an jeden, der dir begegnet. Ich liebe dich und bin immer für dich da!"

Ich liebe Mutter Maria sehr und schätze ihr Mitgefühl, ihre Barmherzigkeit und ihre königliche Heilungskraft!

Ich war damals zu Tränen gerührt über ihre Liebe und versuche bis heute, göttliche Liebe an alle weiterzugeben, denen ich begegne.

Ich liebe Mutter Maria und bin ihr so dankbar, denn sie hat mich in ihren mütterlichen Armen aufgenommen, als ich es am meisten gebraucht habe!

Ich schätze nicht nur ihr großes Herz für uns Menschen, sondern auch ihr Mitgefühl, ihre Barmherzigkeit und ihre königliche Heilungskraft.

Ich wünsche mir, dass Sie sich so fallen lassen können in ihrer Energie, wie ich es tun konnte und es jeden Tag tue.

Ich lade Sie wirklich ein, Ihr Herz zu öffnen und den Segen von Mutter Maria zu empfangen!

- Bringt Liebe, Mitgefühl und Verständnis füreinander
- Loslassen von Ängsten
- Herzheilung
- Segnung
- Hilfe für Kinder, werdende Mütter, Beziehungen, Freundschaften

Gebetsvorschlag:
Meine liebliche, königliche Mutter Maria, bitte komm an meine Seite und erfülle mein Herz mit deiner göttlichen Liebe! Du wunderbare Mutter Jesu Christi, du bist wie ein Engel und bringst göttlichen Segen in alle Herzen. So komm nun auch in meine Situation … (Beschreibung der Situation) und segne alle daran beteiligten Menschen und schenke uns Mitgefühl und Barmherzigkeit füreinander!
Heile bitte diese ganze Situation.
Bitte lege jetzt deine heilende Hand auf mein Herz und erfülle mich mit deiner versorgenden Liebe.
Ich bin dir so dankbar, dass du deine lieblichen Segnungen über mir und allen an der Situation beteiligten Menschen ausschüttest.
Mit dir wird alles gut und ich kann wachsen. Mit deiner Hilfe finde ich in mir die Liebe und den Frieden.
Ich danke dir so sehr, du lieblicher Engel! Vielen Dank!

Pallas Athene

Pallas Athene ist eine griechische Göttin und die Schutzgöttin und Namensgeberin der griechischen Stadt Athen. Sie gehört zu den zwölf olympischen Gottheiten und ist die Tochter von Zeus.

Sie ist eine Kriegsgöttin und vor allem auch als Schutzgöttin bekannt. Pallas Athene ist eine wunderschöne und starke Frau. Sie wird oft mit einer Eule abgebildet und assoziiert, was wohl daran liegt, dass Athene einen sehr scharfen Blick besitzt, auch durch das Dunkle – negative Energien – hindurchsehen kann und die Sachlage immer genau erkennt! Sie wurde als „helläugig" bezeichnet, also war sie wohl hellsichtig und kann dadurch hinter die Kulissen sehen!

Wenn wir sie rufen, kann sie sehr schnell helfen. Sofort steht sie mit anmutiger Kraft an unserer Seite und hilft uns, uns sicher zu fühlen, Grenzen zu ziehen, unsere Energie wieder zu sammeln, und sie schlichtet jegliche Streitigkeiten.

Sie besitzt die Gabe, uns aus dem Drama herauszuheben, uns eine neue Perspektive zu zeigen, und erhebt uns in eine friedvolle Energie, die uns weiterbringt und wirklich wachsen lässt.

Sie hat mir immer das Gefühl gegeben, dass ihr kein Problem, keine Arbeit, kein Drama zu schwierig ist. Sie stellt sich allem und sorgt dafür, dass die Herausforderungen bewältigt werden.

Sie ist eine tolle Begleiterin, die mit starker Hand mit anpackt und göttliche Ergebnisse hervorbringt.

- Schutz
- Kraft
- Grenzen ziehen
- Energien sammeln
- Schlichtet Streitigkeiten
- Holt aus einem Drama heraus

Gebetsvorschlag:

Meine geliebte Pallas Athene, ich bitte dich jetzt um deine anmutige Kraft. Bitte hilf mir, so stark und kraftvoll zu sein wie du.

Es gibt gerade eine schwierige Situation/ Streitigkeiten (Beschreibung) in meinem Leben, aber ich habe beschlossen, mich von dir herausführen zu lassen. Ich habe schon viel Energie deshalb verloren und bitte dich nun: Nimm alle Energien von mir, die nicht zu mir gehören, und bringe sie dorthin zurück, wo sie hingehören. (Bitte dreimal tief ausatmen.)

Nun sammle bitte alle meine Energien ein, die mir gehören. Egal, wo ich meine Energien verloren habe, du bringst sie mir jetzt wieder zurück und sie stehen mir selbst jetzt wieder ganz zur Verfügung. (Bitte dreimal einatmen.) Bitte erfülle jetzt jeden Aspekt meines Seins mit deiner göttlichen Energie, und falls ich noch irgendwo im Drama hänge, dann bitte ich dich nun, mich von dort zu lösen und mich in deine friedvolle Energie zu erheben. Du packst jetzt mit an, so kann ich sicher sein, dass wunderbare Ergebnisse hervorgebracht werden!

Vielen Dank.

Pele

Pele ist die Vulkangöttin von Hawaii. Sie ist unheimlich stark und feurig. Auf Hawaii ist sie allgegenwärtig und die Einwohner haben eine große Liebe für sie und gleichzeitig auch einen sehr großen Respekt!

Der Legende nach befand sich die feurige Pele im ständigen Streit mit ihrer Schwester Namaka – der Göttin der Meere. Das erzürnte ihren Vater so sehr, dass er sich entschied, Pele fortzuschicken.

Mit einem Kanu gelangte sie nach Hawaii, wo sie mit ihrem magischen Stab die Vulkane erschuf. Ihre Schwester konnte den Kampf aber noch nicht aufgeben und folgte ihr. Sie bekämpfte das Feuer von Pele mit ihren Wasserfluten und auf Maui kam es zur finalen Schlacht zwischen den beiden Schwestern. Namaka siegte und kehrte in ihre Heimat Tahiti zurück, da sie dachte, ihre Schwester Pele sei tot.

Aber Pele hatte überlebt! Seither lebt sie auf Big Island Hawaii und ist die Herrscherin über das Feuer und über die Vulkane von Hawaii.

In den traditionellen Tänzen – den Hulas – wird die Geschichte von Pele erzählt. Sie ist auf Hawaii wirklich allgegenwärtig und sehr wichtig für die Einheimischen. Als ich mit meiner kleinen Tochter einige Monate auf Big Island Hawaii gelebt habe, durften wir an einigen Zeremonien von Einheimischen teilnehmen, die zu Ehren von Pele abgehalten wurden. Diese Zeremonien waren so kraftvoll, liebevoll und respektvoll und es berührte uns zutiefst.

Uns fesselte diese feurige Kraft von Pele richtig, jede Woche musste ich mit meiner Tochter mindestens einmal zum Krater gehen oder den Lavastrom besichtigen, der direkt ins Wasser floss. Wie oft saßen wir zwei einfach nur da und bewunderten diese feurige Kraft des Vulkanes und bedankten uns bei Pele für ihren unglaublichen Schutz. Meine Tochter und ich lieben diese Göttin sehr, vielleicht weil wir ihr eine Zeit wirklich so nahe sein konnten und sie uns bis heute begleitet.

Hawaii an sich ist wirklich ein Paradies. Schon, als wir auf dem Flughafen von Honolulu zwischenlandeten, umgab uns ein Blumenduft, hawaiianische Musik und eigentlich dachte ich: Wir sind im Himmel gelandet! Man ist plötzlich ganz bei sich, bei seinen Stärken und bei seinen Schwächen, und die Kraft und Klarheit von Pele nimmt einen dann wirklich mit auf die Reise zu sich selbst, sie erweckt eine Kraft in uns, die ich eigentlich nicht in Worte fassen kann, man muss es spüren!

Noch ein kleines Geschichtchen möchte ich erzählen über den Respekt, den Pele weitergibt. Kein Einheimischer würde jemals einen einzigen Lavastein von der Insel nehmen, so groß ist der Respekt vor Pele, und sie wissen um den Zorn von Pele. Viele Touristen, die das trotz aller Hinweise gemacht haben, schickten diese Lavasteine wieder zurück, da sie sich tatsächlich wie vom Pech verfolgt fühlten. Im Visitor Center des Nationalparks gehen täglich viele Einsendungen ein, weil die Leute doch merken, dass es nicht in Ordnung ist.

Obwohl meine kleine Tochter eine große Steinesammlerin ist, war sie erfüllt von dem Respekt für Pele und nahm niemals einen Stein mit. Ausgerechnet auf der Heimreise nach Los Angeles saß ein Mann neben uns, der freudestrahlend ein Beutelchen zückte mit vielen kleinen Lavasteinen. Ich dachte schon, wir würden abstürzen!

Dann schenkte er uns auch noch einen tollen Lavastein. Meine Tochter meinte zwar zu dem Herrn, dass man das nicht tun sollte und dass sie den Stein nicht wollen würde, aber er blieb beharrlich, und so ließen wir den Stein dann nach der Landung auf dem Sitz liegen, sodass er den Rückweg antreten konnte! Hoffentlich geht es dem Mann auch heute noch gut!!

- – Auflösen von Zweifel und Unsicherheit
- – Lösen von Zorn, Wut
- – Erkennen seiner Stärken und Schwächen
- – Erweckt Kraft, Energie, Leidenschaft und Stärke
- – Schutz
- – Respekt

- Grenzen setzen
- Ziele setzen und dann auch erreichen
- Macht den Weg frei
- Fördert Ehrlichkeit
- Super geeignet für Kinder in der Pubertät, die sich schwertun mit Grenzen, Respekt und ihre Wut/Zorn schwer kontrollieren können

Gebetsvorschläge:

1) Geliebte und heilige Pele, bitte komm an meine Seite und gib mir jetzt den Schutz, den ich brauche. Mit deiner Hilfe kann ich mich selbst erkennen. Durch dich ist es mir möglich, meine Stärken zu sehen und auch meine Schwächen wahrzunehmen. Aber diese sind gar nicht schlimm, denn solange ich sie erkenne und sie mit deiner Hilfe löse, kann ich jetzt zu einer wunderbaren, kraftvollen, ehrlichen und starken Persönlichkeit heranwachsen.

Du kannst jetzt bitte mit deinem heiligen Stab all meine Zweifel und Unsicherheiten lösen und Grenzen sprengen, die ich mir selbst einmal auferlegt habe oder die mir gesetzt wurden, um ja nicht groß und kraftvoll zu sein!

Löse jetzt alles damit Verbundene auf, und bitte vergiss nicht, etwaigen Zorn und Wut in mir zu lösen! Vielleicht hängt ja noch etwas in mir, was mich blockiert und daran hindert weiterzugehen! Ich übergebe dir jetzt mit Freude alles, was mich noch blockiert!

Bitte erwecke jetzt in mir meine innere Flamme. Ich möchte meine göttliche Kraft leben, meine göttliche Stärke, meine göttliche Leidenschaft! Bitte hilf mir auch in dieser Situation ... (Beschreibung der Situation/des Projektes). Schaue darauf, dass alles erfüllt wird mit göttlicher Liebe und Freundlichkeit und dass ich den Mut aufbringe, deiner Führung zu folgen, um meine Ziele zu erreichen und ich selbst zu sein. Gib mir die

Kraft, meine Wahrheit auszusprechen und zu mir selbst zu stehen, wo es wichtig erscheint. Ich weiß, du schützt mich und ich kann mich entfalten und der/die sein, der/die ich bin!

Dein Segen und Gottes Segen erfüllen mich jetzt! Vielen Dank.

2) Meine geliebte und heilige Pele, bitte komme jetzt an die Seite von mir und meinem Sohn/meiner Tochter und schenke uns deinen Schutz.

Wir durchleben gerade eine sehr schwierige Phase und mein Sohn/meine Tochter braucht jetzt sofort deine gesegnete Hilfe … (Beschreibung der Situation).

Mit deiner Hilfe kann sich mein Sohn/meine Tochter jetzt selbst erkennen. Mit deiner Hilfe kann ich mich jetzt selbst erkennen.

Durch dich ist es uns nun möglich, unsere Stärken zu sehen und auch unsere Schwächen wahrzunehmen. Aber diese sind gar nicht schlimm, denn solange wir sie erkennen und sie mit deiner Hilfe lösen, können wir jetzt zu zwei wundervollen, kraftvollen, ehrlichen und starken Persönlichkeiten heranwachsen!

Bitte löse jetzt mit deinem heiligen Stab alle angestaute Wut und den Zorn zwischen uns und in uns beiden und sprenge unsere Grenzen, die wir uns selbst auferlegen oder die uns irgendwann einmal gesetzt wurden, nur um nicht stark und kraftvoll zu sein!

Bitte vergiss nicht, alle Unsicherheiten und Zweifel in uns beiden zu beseitigen, die diese schwierige Situation vielleicht in uns auslöst.

Bitte erwecke jetzt in meinem Sohn/meiner Tochter seine/ihre innere Flamme.

Ich wünsche mir, dass er/sie seine/ihre göttliche Kraft, seine/ihre göttliche Stärke und seine/ihre göttliche Leidenschaft lebt. Bitte löse alles von meinem Sohn/meiner Tochter, was ihn/sie noch blockiert.

Ich danke dir, dass du, Pele, jetzt alles auffüllst mit Liebe und Freundlichkeit – meinen Sohn/meine Tochter, mich, unser Leben und diese ganze Situation.

Bitte gib ihm/ihr den Mut, deiner Führung zu folgen, um

seine/ihre Ziele zu erreichen und er/sie selbst zu sein.

Mit deiner Intervention wird das Beste geschehen und dafür danke ich dir. Dein Segen und Gottes Segen erfüllen uns jetzt!

Herzlichen Dank!

Serapis Bey

Serapis Bey ist ein ägyptischer Gott und in der heutigen Zeit bekannt als Serapis Bey. Er ist so wundervoll, klar und rein! Er arbeitet mit dem weißen göttlichen Licht, wie Ixchel und Erzengel Raziel. Er bringt Licht in jede Situation, löst Stauungen auf, wie Ixchel, und kann, wie Erzengel Raziel, vergangene Leben sehen und auflösen. Er kann porentief reinigen. Er hat mit die stärkste Klarheit und eine Sichtweise, die phänomenale Lösungen hervorbringt!

Mit ihm an der Seite befindet man sich auf der sicheren Seite des Lebens. Er ist ein wunderbarer Coach, mein absoluter Lieblingscoach! Nicht nur, dass er uns von Vergangenem befreien kann, sondern er hilft uns wirklich, eingefahrene Sichtweisen zu verändern, Vergangenes loszulassen, Schuldgefühle freizulassen, er heilt negative Verhaltensweisen/Denkweisen, er hilft uns, wenn es an der Zeit ist, toxische Situationen zu verlassen, um wirklich in ein neues Leben gehen zu können.

Zudem ist er wirklich der beste Erfolgscoach, das habe ich am eigenen Leib erfahren.

Mitte 2014 beschlossen mein Mann und ich, dass wir am Ironman 70.3 im Mai 2015 teilnehmen wollen. Vielleicht kennen Sie ja die Ironman-Veranstaltungen, das sind Triathlon-Wettkämpfe, bestehend aus Schwimmen, Radfahren und Rennen. In diesem Fall wollten wir den 70.3 Ironman machen, also 1,9 Kilometer Schwimmen, 90 Kilometer Fahrradfahren und – nicht zu vergessen – auch noch 21 Kilometer Rennen!

Eigentlich brach mir da schon der Schweiß aus, aber ich hatte zugesagt und mein Mann hatte uns angemeldet! Ehrlich gesagt, kam ich dann aus dieser Nummer nicht mehr raus.

Insgeheim wollte ich eigentlich auch wissen, ob ich es schaffen kann. Ich höre so viele Klagen und viele Menschen fühlen sich so schwach, ausgeliefert und nicht stark genug, ihre Ziele zu erreichen, sodass dies wirklich eine Möglichkeit für mich war, zu zeigen: „Du kannst ALLES schaffen!"

Und das wollte ich tun, auch wenn mir der Angstschweiß schon auf der Stirn stand.

Also holten wir uns einen Coach, der uns helfen sollte, unser Ziel zu erreichen. Dieser gab aber schon nach ca. sechs Wochen auf, weil er meinte, mit uns könnte man nicht vernünftig arbeiten! Sie müssen sich vorstellen, wir haben fünf Kinder, ich habe meine Arbeit, mein Mann führte zu dieser Zeit zwei Hotels und was es sonst noch so zu tun gibt. Es war nicht wirklich einfach mit uns, das gebe ich zu! Denn wir warfen den Trainingsplan immer um, wie er für uns zeitlich machbar war. Also schmiss der Coach nach kurzer Zeit das Handtuch!

Da kam mir die Idee, Serapis Bey als Coach „einzustellen"! Ich bat ihn also, an unsere Seite, bei uns zu sein, uns zu helfen, die Zeit zu finden, zu trainieren und vor allem, um uns zu motivieren! Ich dachte, er wird uns schon nicht feuern ... Und das hat er auch nicht getan!

Von diesem Augenblick an stand er an unserer Seite, wie ein Fels in der Brandung, und ich weiß, er ist mit uns geschwommen, Rad gefahren und ist mit uns bis ins Ziel gerannt!

Diese ganze Zeit war sehr intensiv und manchmal auch tränenreich, da man an Grenzen stößt, die niedergerissen werden müssen, um weitergehen zu können, aber in allem stand er uns mit seinem Licht zur Seite!

Er ist unglaublich und ich kann Ihnen nur empfehlen, ihn an Ihre Seite zu bitten, egal was Sie erreichen wollen! Er ist der beste, liebevollste, klarste und motivierendste Coach, den ich kenne!

SIE KÖNNEN ALLES ERREICHEN!

- Erfolgscoach
- Motivation und Durchhaltevermögen
- Ein Fels in der Brandung
- Löst Stauungen
- Löst karmische Verknüpfungen
- Bringt Licht in jede Situation
- Klarheit

Gebetsvorschlag:

Geliebter, einzigartiger Serapis Bey, ich rufe dich, da ich dich jetzt als meinen Erfolgscoach brauche!

Bitte komme jetzt zu mir und lass mich dein/e Schüler/in sein. Ich brauche dich nun ganz dringend für ... (Beschreibung des Projektes/der Situation).

Scheine dein göttliches Licht in jede Ecke meines Lebens und vor allem in diese erwähnte Situation und löse alle vorhandenen karmischen Verknüpfungen, alle negativen Energien, alle negativen Verhaltensweisen, alle negativen Denkweisen, eingefahrenen Sichtweisen und befreie mich von allem alten Ballast. Bringe bitte mich, mein Leben und diese Situation wieder ins Fließen.

Deine Klarheit durchflutet mich jetzt und deine Weisheit erfüllt mein Sein. Alle daran beteiligten Personen werden ebenso durchflutet und erfüllt und eine phänomenale Lösung steht jetzt für mich bereit.

Du nimmst mich jetzt liebevoll an deine Hand und führst mich sicher in das Ziel!

Mit dir an meiner Seite kann ich meiner inneren Stimme folgen und mit deiner Motivation und deinem göttlichen Segen erreiche ich alles, was ich möchte!

Ich danke dir, geliebter Serapis Bey, und bitte dich, mich in deinem weißen Licht schützend einzuhüllen! Vielen Dank!

Paramahansa Yogananda

Paramahansa Yogananda ist ein wundervoller Meister aus Indien, der 1920 nach Amerika kam, mit dem Auftrag, den Kriya-Yoga im Westen zu verbreiten! Zu diesem Zweck gründete er in Amerika die „Self-Realization Fellowship".

Er ist der jüngste Meister aus der Reihe der Kriya-Yoga-Meister, wie zum Beispiel Krishna, Christus, Babaji. Er wurde am 5. Januar 1893 in Indien geboren und verließ die irdische Welt am 7. März 1952. Zu Lebzeiten war er ein toller Redner und Schriftsteller, was man in seinen unzähligen Büchern wahrnehmen kann, sein wohl bekanntestes Werk heißt „Autobiographie eines Yogi". Yogananda war einer der größten Weisen, die jemals auf dieser Erde gelebt haben, ein spiritueller Wissenschaftler und ein echter Avatar des Kriya-Yogas, voller Liebe und verschmolzen mit Gott!

Der Kriya-Yoga wurde von Krishna gelehrt und wohl auch von Jesus Christus praktiziert. Danach war er jahrhundertelang in Vergessenheit geraten und wurde durch den erleuchteten Babaji im 19. Jahrhundert wieder eingeführt und weitergegeben. So ging er an seinen Schüler Lahiri Mahasaya weiter und an Sri Yukteswar, den Meister und Lehrer von Paramahansa Yogananda.

Dieser folgte seinem göttlichen Auftrag, nach Amerika zu kommen, um den Kriya-Yoga zu lehren, von wo aus er sich bis heute in der ganzen Welt verbreitete!

Kriya-Yoga ist einfach die Schnellstraße, um zu Gott zu gelangen, wirkliche Selbstverwirklichung zu finden, und gibt dem Gottsucher Techniken, um täglich zu üben.

Im Leben geht es in Wahrheit darum, Gott zu finden – hierbei möchte ich wirklich nochmals sagen, dass es nicht um eine bestimmte Glaubensrichtung geht! Dies ist mir sehr jung gezeigt worden, auch durch mein Nahtoderlebnis! Wir kommen von Gott und gehen wieder zu Gott über, wenn wir sterben, und dazwischen sollten wir ihn niemals vergessen, sondern eine Kommunikation mit ihm pflegen, die dann in unendliche Liebe übergeht. Die uralte

Wissenschaft Kriya-Yoga kann jedem Menschen dabei behilflich sein!

- Göttliche Liebe
- Kriya-Yoga
- Selbstverwirklichung

Gebetsvorschlag:
Mein geliebter Paramahansa Yogananda, ich verneige mich vor dir und vor allen Kriya-Yoga-Meistern. Bitte hilf mir, den Weg zu Gott zu zeigen. Ich fühle, ich bin jetzt bereit dafür und meine es wirklich ernst.

Bitte segne mich jetzt mit deiner göttlichen Liebe, sodass ich im Schutze von euch Meistern Gott finden kann!

Vielen Dank!

Gott

Gott ist die allumfassende Kraft, diese göttliche Energie ist überall! Sie pulsiert überall, sie lebt in allem. Gott ist die Kraftquelle, von der wir leben!

Es geht mir hierbei um keine Religion oder Bekehrung! Letztlich geht es um die eine und einzige Quelle des Lichtes, wo wir alle herkommen und wieder hingehen, ganz gleich, wie wir was benennen wollen, ob wir glauben oder nicht, ob wir viel erreicht haben oder nicht, ob wir geliebt haben oder nicht! Durch mein Nahtoderlebnis mit 22 Jahren ist mir das bewusst geworden!

Wir sollten nicht die ganze Zeit über unsere Probleme grübeln, sonst bleiben wir automatisch auf der Maya-Ebene – auf der Ebene der Illusion von Drama, Schrecken und Tod – stecken, und die Wahrheit ist: Das bringt niemandem etwas! Wer schon einmal ein wahres Nahtoderlebnis hatte, wird es mir sofort bestätigen: Wenn man seinen Körper verlassen hat, besteht man nur noch aus Licht, Liebe, Freude und Geist. Aber solange wir im Körper leben, sind wir das auch! Wir sind schon Licht, Liebe, Freude und Geist, nur begraben wir es unter Drama und Schrecken!

Ich glaube einfach, dass wir alle nur aus einem Grunde hier sind und am großen Schauspiel der Erde teilnehmen, nämlich um zu sehen, dass wir alles in uns tragen – das Licht, die Liebe, die Freude, den einzigartigen Geist – und um unser Verhältnis zu Gott zu vertiefen!

Verzweifeln Sie niemals!

Es sind alles nur Prüfungen, aus denen wir gestärkt und mit größerer Verbundenheit mit Gott wieder auftauchen können!

Lassen wir es nicht geschehen, dass das Drama siegt, sondern rufen wir stattdessen lieber die Engel – die Boten Gottes – an unsere Seite, und vor allem sollten wir Gott einen Platz in unserem Herzen bereiten!

Legen Sie Ihr Herz, Ihr Dasein, Ihre Probleme, einfach alles in seine Hände! Lassen Sie dann los, denn Gott kann am besten für uns sorgen und weiß am besten, was für uns gut ist. Wenn wir vertrauen, dass er uns seine Engelhelfer auch in schwierigen Phasen unseres Lebens zur Seite stellt und er selbst schützend seine Hand über uns hält, sind wir auf dem richtigen Weg!

Das heißt jetzt nicht, dass wir nichts mehr tun müssen. Nein! Im Gegenteil, wir werden voller Tatendrang sein und dieses göttliche Licht, diese göttliche Liebe, diese göttliche Freude, diesen göttlichen Geist in uns spüren und uns jeden Tag erfreuen!

Um in den Kontakt mit Gott zu gelangen, sagen Sie einfach: „Ich liebe Dich, Gott!", denn er wartet auf unsere Liebe!

In diesem Sinne wünsche ich Ihnen, dass Sie vertrauen können, die wundervollen Engel, aufgestiegenen Meister, Göttinnen, Erzengel, Avatare und Gott an Ihre Seite bitten und sie in Ihrem Leben wirken lassen können. Öffnen Sie Ihr Herz und lassen Sie sie herein! Es wird sich viel tun in Ihnen, um Sie herum und in Ihrem Leben!

Viel Spaß! Und ich wünsche Ihnen ein GOTTERFÜLLTES LEBEN!

Auflistung aller Engelwesen und ihren Wirkungsbereich

Abundantia

- Wohlstand

- finanzielle Sicherheit

- Schutz und sichere Führung

- Liebe und Geborgenheit

- Sorgen loslassen

- Freude leben

- reicher Segen

Babaji

- spirituelles Wachstum

- Klarheit

- öffnen des Herzens

- reine, göttliche Liebe

- klare Kommunikation mit Gott

Buddha

- Meditation

- den Frieden in sich finden

- Harmonie und Ausgeglichenheit

- Freude

- spirituelles Wachstum und die Vereinigung mit Gott

Christus

- Vergebung

- Heilung

- wunderwirkende Kraft

- Verbindung mit Gott

- loslassen

- Frieden

Diana

- Mutterschaft/ Schwangerschaft/ Geburt

- Ängste/ Sorgen loslassen

- Angst vor Öffentlichkeit

- um in die Stärke, Kraft, Fülle und Fruchtbarkeit zu gelangen

Djwal Khul

- Heilung

- Heilung des Herzens

- Hilfe für alle die heilerisch tätig sind

- enge Zusammenarbeit mit Erzengel Raphael und Meister Hilarion

El Morya

- Verbindung zur inneren Stimme

- schöpfe Vertrauen

- Schutz, Erdung und Zentrierung

- Neuanfang

- Reinigung

- durchtrennen von Energieschnüren

Erzengel Ariel

- Mut und Selbstvertrauen

- lebe deine Träume

- bleibe dir selbst treu

- Schutz

- Verbindung zu Tieren und Natur

Erzengel Azrael

- Hilfe in allen Situationen, besonders beim Sterbeprozess/ Trennungsprozess

- Lichtbringend

- besserer Schlaf

- Hilfe für Lichtarbeiter

- loslassen von Kummer, Schwere, Verzweiflung und Trauer

- Herzheilung

Erzengel Chamuel

- innerer Frieden

- Liebe ist real

- Hilfe, um Situationen klar zu sehen

- finden von verlorenen Gegenständen

- finden vom Seelenpartner

- finden von Arbeit, usw.....

Erzengel Gabriel

- Schwangerschaft und Geburt

- Weiblichkeit

- Verhältniss zwischen Eltern und Kinder

- Arbeit mit dem inneren Kind

- Begleitung aller künstlerischen Projekte

- Schreiben

- Journalismus, Arbeit im Fernsehen/ Radio

- Bühnenpräsenz

Erzengel Haniel

- bringt Weiblichkeit, Anmut, Weisheit, Achtung, Liebe, Gelassenheit, Charme und Schönheit

- Mondzyklus

- hilft Männern weicher und liebevoller zu werden

- Lösung von schwierigen Situationen oder Streiterei

Erzengel Jeremiel

- Gnade für jede Situation

- hilfreich in Meridian- Klopftherapie

- herauslösen von negativen Emotionen

- aufbauen eines neuen Fundaments- voller Liebe, Selbstwert und Vertrauen

Erzengel Jophiel

- bringt Schönheit in allen Bereichen

- positive Gedanken – hilfreich bei Affirmationen

- Positivität

- Befreiung von negativen Dingen, Mustern, Gedanken und Verhaltensweisen

- fördert Kreativität und Schöpferkraft

- Begleitung von künstlerischen Projekten

Erzengel Metatron

- überwinden von Ängsten

- Probleme bei Kindern – vorallem bei Lernschwierigkeiten, Wachstumsschüben oder in Pupertät

- Probleme bei Kindern – toller Hilfe für die Eltern

- Notsituation

Erzengel Michael

- der beste Beschützer

- die Polizei unter den Engeln

- löst alle energetischen Schnüre, Verstrickungen, Giftstoffe, Ängste und Sorgen

- reinigt und klärt alles

- bringt Mut, Tapferkeit, Energie und Kraft

- sorgt für Recht und Ordnung

Erzengel Raguel

- Sorgt für Ordnung und Gerechtigkeit

- Hilfe für alle schwächeren, benachteiligten Menschen, oder die, die sich alleine fühlen

- Heilung in Beziehungen

 -löst Konflikte

- Teamwork (in der Arbeit, in der Familie, in einer Mannschaft,...)

- fördert Freundschaft

Erzengel Raphael

- mächtigster Heiler

- Hilfe bei Süchten

- Arbeit mit dem Dritten Auge

- Schutz

- ablösen von negativen, niederen Energien

Erzengel Raziel

- göttliche Liebe und Magie

- karmische Lösung und Heilung

- grössere Zusammenhänge erkennen

- Einblick in die göttlichen Geheimnisse

- spirituelles Wachstum

- Ideen werden zu Gold

Erzengel Sandolphon

- heilt mit Liebe und Sanftheit

- lösen von Aggresivität und Frustration

- Überbringen und Beantwortung von Gebeten

- Musik

Erzengel Uriel

- erhellt jede Situation

- schnelle Problemlösung

- Weisheit

- Naturkatastrophen

Erzengel Zadkiel

- Mitgefühl

- Vergebung

- Heilung des Herzens

- lösen von Verhärtungen im Herzen

- positive Veränderung der Raumenergie in Flugzeugen, Busse, Züge oder wo immer Menschenansammlungen sind

Ganesh

- Wohlstand und Fülle

- fürsorgliche Liebe

- Schutz

- Beseitigung aller Hindernisse

- Weisheit

- Positivität

Hilarion

- Heilung

- Heilung des Herzens

- fühle dein Herz, spüre deine Weisheit und folge deinem Weg

- für alle, die heilerisch tätig sind

Isis

- göttliche Magie

- auflösen und ausgleichen von früheren Leben

- innere und äussere Schönheit

- weibliche Kraft, Stärke und Freude

- „Steh zu deinem wahren Wesen!"

- Selbstachtung

Ixchel

- Heilung

- heilt mit dem Regenbogenlicht

- löst jeglichen Stau auf

- bringt in den Fluss

Kali

- steht für Tod/ Neubeginn, sterben/ wachsen

- löst alles Negative

- Klärung aller Situationen

- loslassen

- Mut/ Motivation/ Tatenkraft

- Schutz

- Leidenschaft

Krishna

- pure, göttliche Liebe

- Überbringer von Glück und Freude

- Kriya-Yoga

- spirituelles Erwachen

- Vereinigung mit Gott

Kwan Yin

- Barmherzigkeit

- Mitgefühl

- Gleichgewicht

- Heilung

- lösen von Karma

- Liebe

Kuthumi

- Ängste loslassen

- Erdung

- Leichtigkeit

- hebt das Herz in den Himmel

Lady Nada

- Geborgenheit und Liebe

- umwandeln von negativen Emotionen/ Energien

- Heilung mit reiner Liebe

Lakshmi

- Glück

- Fülle und Reichtum

- Schönheit und Liebe

- geistiges Wohlbefinden und Harmonie

- neue Möglichkeiten

Maat

- Gerechtigkeit

- göttliche Ordnung und Weltordnung

- Wahrheit kommt ans Licht

- Rechtschaffenheit

- innere Stärke

- Schutz vor Manipulation und Schwarzmagie

- auflösen von Suchtverhalten und Zwängen

Maha Chohan

- Hilfsbereitschaft

- neue Impulse und Ideen

- Bühnenpräsenz

- für alle die unterrichten und lehren

- freier Ausdruck

- Herzöffnung und Herzheilung

Merlin

- Weisheit und Wissen

- Heilung

- vermittelt Wissen aus Atlantis und Lemurien

- Arbeit mit Kristallen

- Hilfe bei allen heilerischen/ helfenden Berufen

- für eine schnelle Wende

- sprengt vorhandene Grenzen

- Wachstum

Mutter Maria

- bringt Liebe, Mitgefühl und Verständnis füreinander

- loslassen von Ängsten

- Herzheilung

- Segnung

- Hilfe für Kinder, werdende Mütter, Beziehungen, alle Freundschaften

Pallas Athene

- Schutz

- Kraft

- Grenzen ziehen

- Energien sammeln

- schlichten von Streitigkeiten

- holt aus Drama heraus

Pele

- auflösen von Zweifel und Unsicherheiten

- lösen von Wut / Zorn

- erkennen seiner Stärken und Schwächen

- erweckt die Kraft, Energie, Leidenschaft und Stärke

- Schutz

- Respekt

- Grenzen ziehen

- Ziele setzen und dann auch erreichen

- macht den Weg frei

- fördert Ehrlichkeit

- super geeignet für Kinder in der Pupertät, die sich schwer tun mit

Grenzen, Respekt und ihre Wut/Zorn schwer kontrollieren können

Serapis Bey

- Erfolgscoach

- Motivation und Durchhaltevermögen

- ein Fels in der Brandung

- löst karmische Verknüpfungen

- bringt Licht in jede Situation

- Klarheit

- der inneren Stimme folgen

Paramahansa Yogananda

- göttliche Liebe

- Kriya-Yoga

- Selbst-Verwirklichung

Gott

Ist für ALLES zuständig

Bezugsquellen:

Paramahansa Yogananda – Die Bhagavad – Gita

Paramahansa Yogananda – Autobiografie eines Yogis

Die Autorin dieses Buches gibt keinerlei medizinische Empfehlungen oder Verordnungen.

Auch nicht den Ersatz irgendeiner Methode im Sinne einer Behandlungsart für medizinische Probleme, die ohne den Rat des Arztes anzuwenden wäre!

Die Autorin und der Verleger übernehmen keinerlei Verantwortung für Ihr Tun und dessen etwaige Folgen.

Die Absicht der Autorin sind alleine, Informationen anzubieten, die Ihnen helfensollen, im Streben, nach Gesundheit, mit Ihrem Arzt, Homöopathen, usw zu kooperieren.

Sie versucht eine Möglichkeit aufzuzeigen, dass jeder Mensch die 100% Verantwortung für sich, sein Leben, seinen Körper und vorallem seine Gedanken übernehmen sollte.

Falls Sie Informationen aus diesem buch für sich anwenden möchten, behandeln Sie sich selbst, was Ihr Recht ist!

Herstellung und Verlag:
BoD - Books on Demand, Norderstedt
ISBN 978-3-7412-4279-3

Mehr über Nadine V. Simmerock
www.nadinesimmerock.com

Lightning Source UK Ltd.
Milton Keynes UK
UKHW021425300620
365806UK00004B/687